UMA LONGA

CAMINHADA

ATÉ A ÁGUA

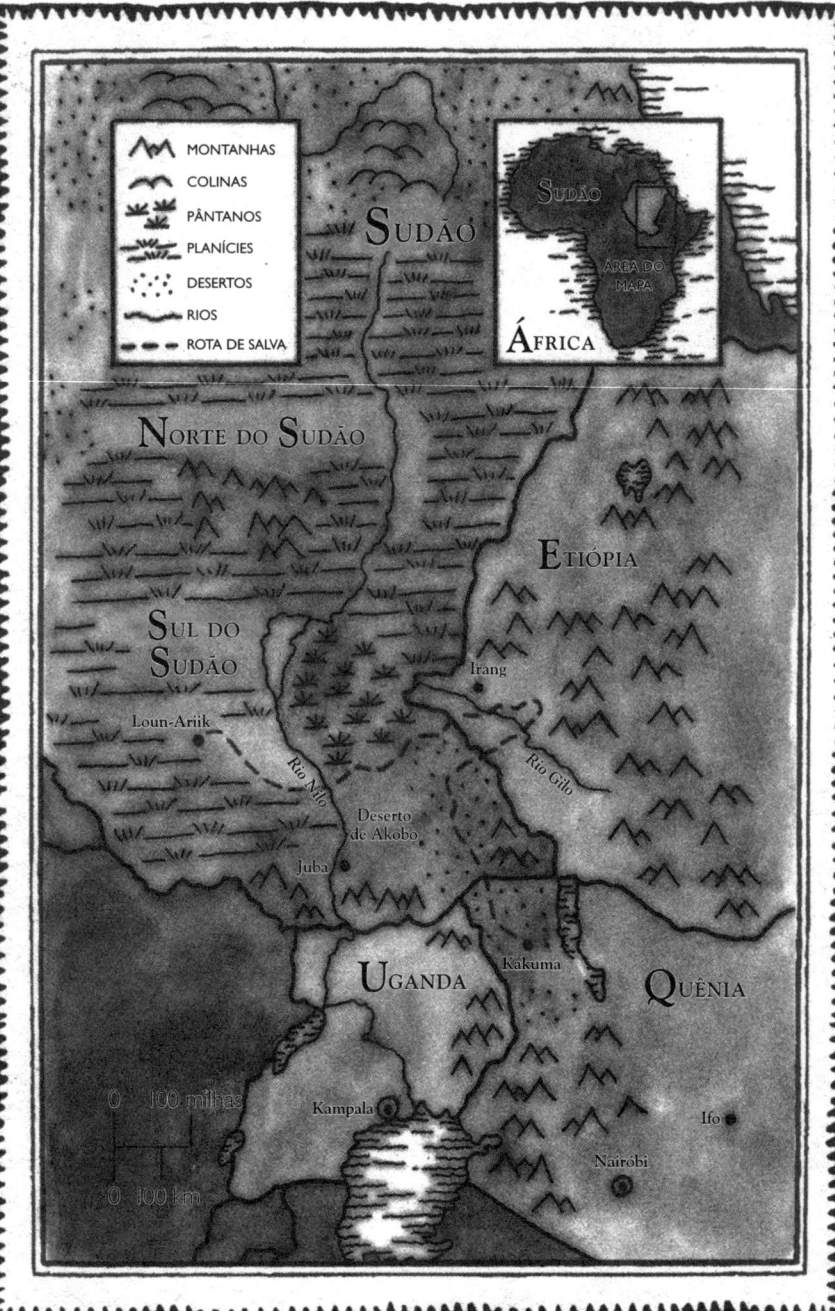

Mapa do Sudão, 1985

UMA LONGA CAMINHADA ATÉ A ÁGUA

Um romance de
LINDA SUE PARK

Tradução de George Schlesinger

BASEADO NUMA HISTÓRIA REAL

Esta obra foi publicada originalmente em inglês com o título
A LONG WALK TO WATER
por Clarion Books, selo da Houghton Mifflin Harcourt Publishing Company, em 2010.

Copyright © 2010, Linda Sue Park

Copyright © 2016, Editora WMF Martins Fontes Ltda.,
São Paulo, para a presente edição.

Todos os direitos reservados. Este livro não pode ser reproduzido, no todo ou em parte, armazenado em sistemas eletrônicos recuperáveis nem transmitido por nenhuma forma ou meio eletrônico, mecânico ou outros, sem a prévia autorização por escrito do editor.

1ª edição 2016
8ª tiragem 2024

Tradução
George Schlesinger
Acompanhamento editorial
Fabiana Werneck Barcinski
Preparação de texto
Fabiana Werneck Barcinski
Revisões
Lígia Azevedo
Ana Paula Luccisano
Edição de arte
Katia Harumi Terasaka
Produção gráfica
Geraldo Alves
Paginação
Moacir Katsumi Matsusaki
Ilustração da capa
Andrés Sandoval

Dados Internacionais de Catalogação na Publicação (CIP)
(Câmara Brasileira do Livro, SP, Brasil)

Park, Linda Sue
  Uma longa caminhada até a água / um romance de Linda Sue Park ; tradução George Schlesinger. – São Paulo : Editora WMF Martins Fontes, 2016.

  Título original: A long walk to water.
  ISBN 978-85-469-0083-1

  1. Ficção – Literatura infantojuvenil I. Título.

16-03852   CDD-028.5

Índices para catálogo sistemático:
1. Ficção : Literatura infantojuvenil 028.5
2. Ficção : Literatura juvenil 028.5

Todos os direitos desta edição reservados à
Editora WMF Martins Fontes Ltda.
Rua Prof. Laerte Ramos de Carvalho, 133 01325-030 São Paulo SP Brasil
Tel. (11) 3293-8150 e-mail: info@wmfmartinsfontes.com.br
http://www.wmfmartinsfontes.com.br

Para Ben, mais uma vez

CAPÍTULO UM

Sul do Sudão, 2008[1]

A ida era fácil.
Na ida, o grande pote de plástico continha apenas ar. Alta para os seus 11 anos, Nya podia trocar a alça de uma mão para a outra, balançar o pote ao seu lado, ou agarrá-lo com os dois braços. Podia até mesmo arrastá-lo atrás de si, provocando solavancos no chão e levantando uma pequena nuvem de poeira a cada passo.
Havia pouco peso na ida. Havia apenas calor, o sol já torrando o ar, mesmo que ainda faltasse muito para o meio-dia. Era provável que ela levasse metade da manhã se não parasse no caminho.
Calor. Tempo. E espinhos.

Sul do Sudão, 1985

Salva sentou-se de pernas cruzadas no banco. Manteve a cabeça virada para a frente, mãos cruzadas, costas perfeitamente ere-

---

1. O nome original da região onde se passa a história é "Southern Sudan", que é a parte sul do Sudão. Optei por traduzir como Sul do Sudão, para não fazer confusão com o país que hoje existe, que é o Sudão do Sul ou Sudão Meridional, em inglês "South Sudan". Esse país só surgiu em 2011, portanto não existia em nenhuma das duas épocas retratadas no livro. [N. do T.]

tas. Tudo nele estava atento ao professor – tudo exceto seus olhos e sua mente.

Seus olhos ficavam se desviando para a janela, pela qual ele podia ver a estrada. A estrada para casa. Só mais um pouquinho – mais alguns minutos – e ele estaria caminhando por aquela estrada.

O professor continuava o falatório arrastado da aula, sobre a língua árabe. Em casa, Salva falava a língua da sua tribo Dinka. Mas na escola aprendia árabe, a língua oficial do governo sudanês no norte distante. Salva fez 11 anos em seu último aniversário e era bom aluno. Já conhecia a lição, e por isso deixava sua mente vagar pela estrada antes do seu corpo.

Salva sabia muito bem da sorte que tinha por poder ir à escola. Não podia frequentá-la o ano inteiro, porque durante a estação seca sua família se mudava para longe da aldeia. Mas, durante a estação chuvosa, podia ir a pé para a escola, que ficava a apenas meia hora da sua casa.

O pai de Salva era um homem bem-sucedido. Possuía muitas cabeças de gado e trabalhava como juiz da aldeia – uma posição honrada, respeitada. Salva tinha três irmãos e duas irmãs. Quando cada menino chegava a mais ou menos 10 anos, era mandado para a escola. Os irmãos mais velhos de Salva, Ariik e Ring, tinham frequentado a escola antes dele. No ano passado, foi a vez de Salva. As duas irmãs, Akit e Agnath, não estudaram. Como outras meninas da aldeia, permaneciam em casa e aprendiam com a mãe a cuidar de um lar.

Na maior parte do tempo, Salva estava contente por poder ir à escola. Mas alguns dias ele gostaria de ainda estar em casa pastoreando o gado.

Ele e seus irmãos, junto com os filhos das outras esposas do pai, caminhavam com os rebanhos para perto dos charcos, onde havia bons pastos. Suas responsabilidades dependiam da idade de cada um. O irmão mais novo de Salva, Kuol, cuidava apenas de uma única vaca; como os irmãos mais velhos, ele ficaria encarregado de mais vacas ano após ano. Antes de Salva ter começado a ir à escola, ajudara a cuidar do rebanho todo, bem como seu irmão mais novo.

Os meninos tinham de ficar de olho nas vacas, mas elas na verdade não precisavam de muito cuidado. E isso deixava muito tempo livre para brincar.

Salva e os outros garotos faziam vacas de barro. Quanto mais você fazia, mais rico era. Mas tinham de ser animais bonitos, saudáveis. Levava tempo para fazer um bolo de argila ficar parecendo uma boa vaca. Os garotos se desafiavam uns aos outros para ver quem fazia mais e melhores vacas.

Outras vezes praticavam com seus arcos e flechas, atirando em animais pequenos e pássaros. Ainda não eram muito bons nisso, mas de vez em quando tinham sorte.

Esses eram os melhores dias. Quando um deles conseguia matar um esquilo ou coelho, uma galinha-d'angola ou um tetraz, a brincadeira sem objetivo dos meninos era interrompida e de repente havia muito trabalho a fazer.

Alguns juntavam lenha para a fogueira. Outros ajudavam a limpar e preparar o animal. Então o assavam no fogo.

Nada disso acontecia tranquilamente. Salva tinha sua própria opinião de como se devia fazer a fogueira e por quanto tempo era necessário cozinhar a carne, e o mesmo ocorria com cada um dos outros.

– A fogueira precisa ser maior.

– Não vai durar tempo suficiente, precisamos de mais lenha.

– Não, o tamanho já está bom.

– Rápido, vire o bicho antes que estrague!

O sumo pingava e chiava. Um cheiro delicioso enchia o ar. Finalmente, não aguentavam mais esperar. Só havia o suficiente para cada um dos garotos dar algumas mordidas, mas que delícia eram aquelas mordidas!

Salva engoliu e voltou os olhos para o professor. Gostaria de não ter se lembrado daqueles tempos, porque as lembranças o deixaram faminto... Leite. Quando chegasse em casa, tomaria uma tigela de leite fresco, que manteria sua barriga cheia até a hora do jantar.

Ele sabia bem como seria. Sua mãe surgiria de seu trabalho de moer comida e andaria até o lado da casa que dava para a estrada. Botaria uma das mãos fazendo sombra nos olhos, buscando por ele. De longe Salva veria seu brilhante lenço alaranjado na cabeça, e levantaria o braço saudando-a. Na hora que chegasse na casa, ela já teria entrado para deixar a tigela de leite pronta para ele.

CRACK!

O ruído viera de fora. Teria sido um tiro? Ou só o escapamento de um carro falhando?

O professor parou de falar por um momento. Na sala, todas as cabeças voltaram-se para a janela.

Nada. Silêncio.

O professor pigarreou, o que trouxe de volta a atenção dos meninos para a frente da sala. Ele continuou a aula a partir do ponto em que tinha parado. Então...

CRACK! POP-POP-CRACK!
TACK-TACK-TACK-TACK-TACK-TACK!
Tiros!
– Todo mundo, PARA BAIXO! – o professor berrou.
Alguns dos meninos se moveram rapidamente, abaixando a cabeça e se curvando. Outros ficaram sentados, petrificados, com olhos e bocas escancarados. Salva cobriu a cabeça com as mãos e olhou de um lado a outro em pânico.
O professor foi se deslocando ao longo da parede até a janela. Deu uma rápida espiada para o lado de fora. Os tiros tinham parado, mas agora as pessoas corriam e gritavam.
– Saiam rápido, todos vocês – o professor disse, com a voz baixa e tom de urgência. – Vão para o mato. Estão ouvindo? Não para casa. Não corram para casa. Eles vão entrar nas aldeias. Fiquem longe das aldeias; corram para o mato.
Foi até a porta e olhou de novo para fora.
– Vão! Todos vocês! Agora!

A guerra começara dois anos antes. Salva não entendia muito do que se tratava, mas sabia que rebeldes da parte sul do Sudão, onde ele e sua família viviam, estavam lutando contra o governo, sediado no norte. A maioria das pessoas que moravam no norte eram muçulmanas, e o governo queria que todo o Sudão virasse um país muçulmano – um lugar onde fossem seguidas as crenças do islã. Mas as pessoas no sul eram de religiões diferentes e não queriam ser forçadas a praticar o islã. Começaram a lutar para ficarem independentes do norte. Os combates estavam espalhados por todo o sul do Sudão, e agora a guerra tinha chegado onde Salva vivia.

Os meninos se puseram de pé aos atropelos. Alguns choravam. O professor começou a apressá-los para saírem correndo porta afora.

Salva estava no fim da fila. Seu coração batia tão forte que sentiu as batidas na garganta e nos ouvidos. Quis berrar: preciso ir para casa! Preciso ir para casa! Mas as palavras ficaram bloqueadas pelas batidas fortes na garganta.

Quando chegou à porta, olhou para fora. Todo mundo estava correndo: homens, crianças, mulheres carregando bebês. O ar estava cheio de poeira levantada por todos aqueles pés correndo.

Alguns homens berravam e sacudiam armas.

Salva viu tudo isso num único relance.

Então também correu. Correu o mais rápido que pôde para o mato.

Para longe de casa.

CAPÍTULO DOIS

Sul do Sudão, 2008

Nya apoiou o pote e sentou-se no chão. Ela sempre tentava não pisar nas plantas espinhosas que cresciam ao longo do caminho, mas os espinhos enchiam o chão por toda parte. Olhou para a planta do seu pé. Ali estava um espinho enorme que havia se partido bem no meio do calcanhar. Nya apertou a pele em volta. Então pegou outro espinho para cutucar e forçar o primeiro a sair. Contraiu os lábios em reação à dor.

Sul do Sudão, 1985

BUUM!

Salva virou-se e olhou. Atrás dele, erguia-se uma enorme nuvem preta de fumaça. Chamas eram lançadas da sua base. No alto, um avião a jato se afastava como uma ave brilhante do mal.

No meio da fumaça e da poeira, ele não conseguiu mais ver o prédio da escola. Tropeçou e quase caiu. Nada de olhar outra vez para trás; isso o fazia perder tempo.

Salva baixou a cabeça e correu.

Correu até não conseguir correr mais. Então andou. Durante horas, até o sol quase desaparecer do céu.

Outras pessoas também andavam. Eram tantas que não podiam ser só da aldeia da escola; deviam ter vindo de toda a região. Enquanto Salva andava, os mesmos pensamentos ficavam passando pela sua cabeça em ritmo com seus passos: "Para onde estamos indo? Onde está a minha família? Quando vou vê-los de novo?"

As pessoas pararam de andar quando ficou escuro demais para enxergar o caminho. No começo, todo mundo ficou imóvel, na incerteza, falando em sussurros tensos ou calados de medo.

Então alguns homens se reuniram e conversaram por alguns instantes. Um deles gritou:

– Aldeias, agrupem-se por aldeias. Vocês vão encontrar alguém que conhecem.

Salva perambulou de um lado a outro até que ouviu as palavras:

– Loun-Ariik! A aldeia Loun-Ariik, aqui!

Ele foi inundado de alívio. Era sua aldeia! Correu na direção daquela voz.

Mais ou menos uma dúzia de pessoas estavam num grupo disperso ao lado da estrada. Salva examinou os rostos. Não havia ninguém de sua família. Reconheceu algumas pessoas: uma mulher com um bebê, dois homens, uma adolescente, mas ninguém que conhecesse bem. Ainda assim, foi reconfortante vê-los.

Passaram a noite ali junto à estrada. Os homens revezavam-se em vigília. Na manhã seguinte, começaram novamente a andar. Salva ficou no meio da multidão com os outros da aldeia Loun-Ariik.

No começo da tarde, viu adiante um grande grupo de soldados. Rumores passaram pela multidão:

– São os rebeldes.

Os rebeldes: aqueles que estavam lutando contra o governo. Salva passou por vários soldados rebeldes aguardando dos dois lados da estrada. Cada um deles segurava uma arma grande. As armas não estavam apontadas para a multidão, mas, mesmo assim, os soldados pareciam ferozes e alertas. Alguns dos rebeldes então entraram no fim da fila; agora o pessoal das aldeias estava cercado.

"O que será que vão fazer conosco? Onde está minha família?"

Mais tarde nesse mesmo dia, os aldeões chegaram ao acampamento dos rebeldes. Os soldados ordenaram que eles se separassem em dois grupos: homens em um, mulheres, crianças e idosos no outro. Garotos adolescentes, pelo visto, eram considerados homens, pois alguns que pareciam apenas alguns anos mais velhos do que Salva estavam indo para o grupo dos homens.

Salva hesitou momentaneamente. Tinha apenas 11 anos, mas era filho de uma família importante. Era Salva Mawien Dut Ariik, da aldeia que recebera o nome em homenagem ao seu avô. Seu pai sempre lhe dizia para agir como homem, seguir o exemplo de seus irmãos mais velhos e, por sua vez, servir de bom exemplo para Kuol.

Salva deu alguns passos na direção dos homens.

– Ei!

Um soldado aproximou-se dele e levantou a arma.

Salva congelou. Tudo que podia ver era o cano preto e brilhante da arma na direção do seu rosto.

A ponta do cano tocou seu queixo.

Salva sentiu os joelhos virarem água. Fechou os olhos.

15

"Se eu morrer agora, nunca mais vou ver minha família." De algum modo, esse pensamento o fortaleceu o suficiente para impedi-lo de tombar por terra de tanto pavor. Inspirou profundamente e abriu os olhos. O soldado estava segurando a arma com uma mão só. Não estava *apontando* a arma; estava usando-a para erguer o queixo de Salva para olhar melhor sua cara.

– Para lá – disse o soldado. Moveu a arma apontando para o grupo de mulheres e crianças. – Você ainda não é um homem. Não seja apressado! – Ele riu, dando palmadinhas no ombro de Salva.

O menino correu para o lado das mulheres.

Na manhã seguinte, os rebeldes mudaram-se do acampamento. Os homens das aldeias foram obrigados a carregar suprimentos: fuzis, morteiros, balas, equipamento de rádio. Salva assistiu a um homem protestar que não queria ir com os rebeldes. Um soldado golpeou sua face com a coronha da arma. O homem caiu no chão, sangrando.

Depois disso, ninguém mais se opôs. Os homens botaram o equipamento pesado nos ombros e deixaram o acampamento.

Os outros também voltaram a caminhar. Foram na direção oposta, pois, aonde quer que os rebeldes fossem, com toda certeza haveria confronto.

Salva permaneceu junto ao grupo de Loun-Ariik. Era agora um grupo menor sem os homens. E, exceto o bebê, Salva era a única criança nele.

Naquele entardecer acharam um celeiro para passar a noite. Salva se revirou inquieto com as coceiras causadas pela palha.

"Para onde estamos indo? Onde está minha família? Quando vou vê-la de novo?"

Ele demorou muito para adormecer.

Mesmo antes de estar totalmente acordado, Salva pôde sentir que alguma coisa estava errada. Ficou deitado muito quieto com os olhos fechados, tentando perceber o que era.

Finalmente, sentou-se e abriu os olhos.

Não havia mais ninguém no celeiro.

Salva levantou-se tão depressa que sentiu uma tontura momentânea. Correu até a porta e olhou para fora.

Ninguém. Nada.

Eles o tinham abandonado.

Estava sozinho.

CAPÍTULO TRÊS

Sul do Sudão, 2008

A mancha no horizonte ganhava cor à medida que Nya se aproximava, mudando de cinza fosco para verde-oliva. A poeira sob seus pés virou lama, depois lodo, até ela finalmente estar com água pelos tornozelos.

Havia sempre tanta vida em volta da lagoa: outras pessoas, principalmente mulheres e meninas que vinham encher seus próprios potes; muitos tipos de pássaros, o bater das asas, trinados e gorjeios; rebanhos de gado conduzidos aos bons pastos pelos garotos que cuidavam deles.

Nya pegou a cuia que estava amarrada à alça do pote plástico. Desamarrou-a, enfiou-a na água lamacenta marrom e bebeu. Foram necessárias duas cuias cheias para refrescá-la.

Ela encheu o pote até a boca. Depois voltou a amarrar a cuia no lugar e tirou do bolso a almofadinha de pano circular. A almofadinha foi posta no alto de sua cabeça, seguida pelo pesado pote de água, que ela manteria no lugar com uma das mãos.

Com a água equilibrada na cabeça e o pé ainda ferido do espinho, Nya sabia que voltar para casa levaria mais tempo do que chegar ali. Mas ela estaria lá por volta do meio-dia, se tudo corresse bem.

Sul do Sudão, 1985

As lágrimas estavam quentes nos olhos de Salva. Para onde foi todo mundo? Por que foram embora sem acordá-lo?

Ele sabia a resposta: porque era criança... poderia se cansar facilmente e retardá-los, queixar-se de estar com fome, causar algum tipo de problema.

"Eu não teria sido problema nenhum... Eu não teria me queixado!... O que vou fazer agora?"

Salva deu alguns passos para ver o que conseguia enxergar. No horizonte ao longe, o céu estava nublado da fumaça das bombas. Mais ou menos 100 passos na sua frente, podia ver uma pequena lagoa. Entre ela e o celeiro havia uma casa – e, sim, uma mulher sentada ao sol.

Segurando a respiração, ele rastejou para mais perto, até poder ver claramente seu rosto. Os padrões das cicatrizes rituais na sua testa eram familiares: pertenciam ao povo Dinka, o que significava que ela era da mesma tribo que Salva.

Ele soltou um suspiro de alívio. Estava contente por ela não ser da tribo Nuer. Os nuers e os dinkas tinham uma longa história de encrencas. Ao que parecia, ninguém tinha certeza de onde terminava o território nuer e começava o território dinka, então cada tribo tentava reivindicar as áreas mais ricas em água. Com o passar dos anos, ocorreram muitas batalhas, grandes e pequenas, entre os dinkas e os nuers; muita gente de ambos os lados tinha sido morta. Não era a mesma coisa que a guerra que estava acontecendo agora, entre os rebeldes e o governo. Os dinkas e os nuers vinham lutando entre si por centenas de anos.

A mulher ergueu os olhos e o viu. Salva titubeou. Ela seria amigável com um estranho? Ficaria zangada com ele por ter passado a noite no celeiro?

Mas pelo menos agora não estava sozinho, e saber disto era mais forte que a incerteza em relação ao que a mulher poderia lhe fazer ou dizer. Caminhou na direção dela.

— Bom dia, titia — ele disse com a voz trêmula.

Ela assentiu com a cabeça. Era velha, muito mais velha que a mãe de Salva.

Ele permaneceu quieto, esperando que ela falasse.

— Você deve estar com fome — ela disse por fim. Levantou-se e entrou na casa. Alguns momentos depois, retornou e lhe deu dois punhados de amendoins crus. E sentou-se de novo.

— Obrigado, titia. — Agachando-se de cócoras ao lado dela, Salva descascou os amendoins e os comeu. Mastigou cada um até transformá-lo numa pasta antes de engolir, tentando fazer durar o máximo possível.

A mulher continuou sentada sem falar até ele terminar. Então indagou:

— Onde está a sua gente?

Salva abriu a boca para falar, mas seus olhos encheram-se novamente de lágrimas e não conseguiu responder.

Ela franziu o cenho:

— Você é órfão?

Ele rapidamente sacudiu a cabeça. Por um instante, sentiu-se quase zangado. Ele não era órfão! Tinha pai e mãe, tinha uma família!

— Eu estava na escola. Fugi correndo da luta. Não sei onde a minha família está.

Ela assentiu.

– É uma coisa ruim, esta guerra. O que você vai fazer, como vai encontrá-los?

Salva não sabia. Tivera a esperança de que a mulher pudesse ter as respostas para ele; afinal, era adulta. Em vez disso, ela tinha apenas perguntas.

Tudo estava de cabeça para baixo.

Naquela noite Salva ficou novamente no celeiro da mulher. Começou a fazer um plano. "Talvez eu possa ficar aqui até a luta acabar. Então volto para minha aldeia e acho minha família."

Ele trabalhou duro para que ela não o mandasse embora. Durante três dias, catou lenha no mato e tirou água da lagoa. Mas a lagoa estava secando; dia após dia era mais difícil encher as cabaças.

Durante o período diurno, Salva podia ouvir o trovejar constante da artilharia do combate que se desenrolava a algumas milhas de distância. A cada bomba que explodia, ele pensava em sua família, esperando que estivessem seguros, perguntando-se desesperadamente quando estaria com eles de novo.

No quarto dia, a mulher lhe disse que estava indo embora.

– Você viu que agora a lagoa é apenas uma poça. O inverno está chegando, e a estação seca. E estes combates. – Ela fez com a cabeça um gesto na direção do barulho. – Vou para outra aldeia, perto da água. Você não pode mais ficar comigo.

Salva a fitou enquanto o pânico despertava dentro dele. "Por que não posso ir com ela?"

A mulher voltou a falar antes que ele pudesse perguntar em voz alta.

— Os soldados vão me deixar em paz, uma velha sozinha. Seria mais perigoso para mim viajar com você. — Ela fez um meneio de simpatia. — Sinto não poder mais ajudá-lo. Por onde quer que ande, certifique-se de estar longe dos combates.

Salva voltou tropeçando para o celeiro. "O que vou fazer, para onde vou?" As palavras se repetiam mil vezes em sua cabeça. Era tão estranho – ele conhecia a velha havia apenas alguns dias, mas agora não conseguia imaginar o que faria quando ela se fosse.

Sentou-se dentro do celeiro e espiou para fora, olhando o nada. À medida que a luz foi ficando mais fraca, os ruídos da noite começaram – o zumbido dos insetos, o farfalhar de folhas secas e um outro som... vozes?

Salva virou a cabeça na direção da voz. Sim, eram vozes. Algumas pessoas caminhavam rumo à casa – um grupo pequeno, menos de uma dúzia de pessoas. Quando chegaram perto, ele respirou fundo.

Na luz que ia se extinguindo pôde ver o rosto daqueles que estavam mais próximos. Dois dos homens tinham na testa o padrão de cicatrizes em forma de "V". Mais uma vez, um padrão dinka – do tipo que era dado aos garotos da aldeia de Salva como parte do ritual de se tornar homem.

Essas pessoas também eram dinkas! Estaria sua família no meio delas?

CAPÍTULO QUATRO

Sul do Sudão, 2008

A mãe de Nya pegou o pote plástico da sua mão e derramou toda a água em três grandes jarros. Entregou a ela uma tigela com uma porção de sorgo fervido e despejou um pouco de leite por cima.

Nya sentou-se na sombra do lado de fora da casa, e comeu. Quando terminou, levou a tigela de volta para dentro. Sua mãe estava amamentando o bebê, irmãozinho de Nya.

— Leve Akeer com você — a mãe disse, sinalizando com a cabeça para a irmã de Nya.

Lançando um olhar para a irmã mais nova, Nya não disse o que estava pensando: que Akeer, que tinha apenas cinco anos, era muito pequena e andava devagar demais.

— Ela precisa aprender — disse a mãe.

Nya fez que sim. Pegou o pote plástico e tomou Akeer pela mão.

Tendo ficado em casa apenas o tempo suficiente para comer, Nya faria agora sua segunda viagem à lagoa. Ida e volta, ida e volta, quase um dia inteiro só caminhando. Essa era a rotina dela durante sete meses do ano.

Diariamente. Todo santo dia.

Sul do Sudão, 1985

Salva segurou a respiração enquanto examinava os rostos, um por um. Então o ar saiu dos seus pulmões e pareceu levar junto toda a esperança.

Estranhos. Ninguém da sua família.

A velha se aproximou, colocou-se atrás dele e saudou o grupo.

– Para onde vocês estão indo? – ela perguntou.

Algumas das pessoas trocaram olhares apreensivos. Não houve resposta.

A mulher pôs a mão no ombro de Salva.

– Este aqui está sozinho. Vocês podem levá-lo junto?

Salva viu dúvida nos rostos das pessoas. Vários homens na frente do grupo começaram a falar entre si.

– Ele é uma criança. Vai nos retardar.

– Outra boca para alimentar? Já está difícil o suficiente encontrar comida.

– Ele é jovem demais para fazer algum trabalho de verdade, não vai nos ajudar em nada.

Salva baixou a cabeça. Eles o deixariam para trás outra vez, exatamente como os outros tinham feito...

Então uma mulher do grupo se moveu e tocou o braço de um dos homens. Não disse nada, mas olhou primeiro para o homem e depois para Salva.

O homem assentiu e virou-se para o grupo.

– Nós vamos levá-lo conosco – disse ele.

Salva rapidamente ergueu a cabeça. Alguns do grupo balançavam a cabeça e resmungavam.

O homem deu de ombros.

— Ele é dinka — explicou, e voltou a andar.

A velha deu a Salva um saco de amendoins e uma cuia para beber água. Ele agradeceu e disse adeus. Então alcançou o grupo, determinado a não ficar para trás, não reclamar, não dar problema para ninguém. Nem sequer questionou aonde estavam indo, com medo de que a pergunta não fosse bem recebida.

Sabia apenas que eram dinkas e que estavam tentando ficar longe da guerra. Tinha que se contentar com isso.

Os dias se transformaram numa caminhada sem fim. Os pés de Salva mantinham-se em ritmo com os pensamentos na sua cabeça, sempre e sempre as mesmas palavras: "Onde está minha família? Onde está minha família?"

Todo dia ele acordava e andava junto com o grupo, descansava ao meio-dia e voltava a andar até ficar escuro. Dormiam no chão. O terreno mudou de moitas e arbustos para florestas; eles caminhavam entre cúpulas de árvores atrofiadas. Havia pouca coisa para comer: algumas frutas aqui e ali, sempre verdes ou apodrecidas. Os amendoins de Salva já tinham acabado no fim do terceiro dia.

Depois de mais ou menos uma semana, mais pessoas juntaram-se a eles — outro grupo de dinkas e vários membros de uma tribo chamada Jur-chol. Homens e mulheres, meninos e meninas, velhos e jovens, andando, andando...

Andando para lugar nenhum.

Salva nunca tivera tanta fome. Caminhava aos tropeços, dando um jeito de botar um pé na frente do outro, sem atentar para o chão sobre o qual andava, a floresta ao seu redor ou a luz no céu.

Nada era real exceto sua fome, que um dia fora um vazio na barriga e agora era um profundo zunido de dor em cada parte dele.

Geralmente andava entre os dinkas, mas hoje, arrastando os pés num torpor, descobriu que tinha ficado um pouco para trás. Andando ao seu lado estava um rapaz jur-chol. Salva não sabia muita coisa sobre ele, só que seu nome era Buksa.

Enquanto caminhavam, Buksa diminuiu o passo. Salva perguntou-se morosamente se não deveriam tentar manter-se um pouco mais perto dos outros.

Nesse momento Buksa parou de andar. Salva também parou. Mas se sentia fraco e faminto demais para perguntar por que estavam parados.

Buksa esticou a cabeça e franziu o cenho, escutando. Permaneceram imóveis durante alguns momentos. Salva podia ouvir o barulho do resto do grupo lá na frente, algumas vozes fracas, pássaros chamando em algum lugar no meio das árvores...

Ele esforçou os ouvidos. O que era aquilo? Aviões a jato? Bombas? Estariam os tiros chegando mais perto, em vez de se afastando? O medo de Salva começou a crescer até ficar mais forte mesmo que sua fome. Então...

– Ah. – Um lento sorriso tomou conta do rosto de Buksa. – Aí está. Você está ouvindo?

Salva franziu o cenho e fez que não com a cabeça.

– Sim, aí está de novo. Venha! – Buksa começou a andar muito rápido. Salva lutou para acompanhá-lo. Duas vezes Buksa parou para escutar, depois seguiu ainda mais depressa.

– O quê... – Salva começou a perguntar.

Buksa parou abruptamente diante de uma árvore muito grande.

– Sim! – disse ele. – Agora vá chamar os outros!

Nesse momento Salva conseguiu captar a excitação.

– Mas o que eu digo para eles?

– O pássaro. O pássaro que eu estava escutando. Ele me trouxe exatamente aqui. – Agora o sorriso de Buksa era ainda mais largo. – Está vendo aquilo? – Ele apontou para os galhos de uma árvore. – Uma colmeia. Uma grande e bela colmeia.

Salva saiu correndo para chamar o resto do grupo. Ele tinha ouvido falar nisso, que os jur-chols eram capazes de seguir o chamado de um pássaro, o guia do mel! Mas nunca tinha visto antes.

Mel! Esta noite, teriam um banquete!

CAPÍTULO CINCO

Sul do Sudão, 2008

Havia um grande lago a três dias de caminhada da aldeia de Nya. Todo ano, quando as chuvas cessavam e a lagoa perto da aldeia secava, a família dela mudava-se de casa para um acampamento perto desse grande lago. Devido a brigas frequentes, a família de Nya não morava perto do lago o ano todo. A tribo Nuer brigava com a rival Dinka por causa das terras em volta do lago. Homens e meninos eram feridos e até mesmo mortos quando os dois grupos entravam em choque. Então Nya e o resto da sua aldeia viviam junto ao lago apenas durante os cinco meses da estação seca, quando as tribos estavam ocupadas demais em sobreviver e as disputas diminuíam de frequência.

Como a lagoa perto de casa, o lago estava seco. Mas, como era muito maior, o barro no fundo ainda continha água.

A tarefa de Nya no acampamento era a mesma que em casa: ir buscar água. Com as mãos, ela cavava um buraco no barro úmido do leito do lago. Então juntava punhados de barro nas mãos em concha até que o buraco ficasse tão fundo quanto o comprimento do seu braço. À medida que cavava, o barro ficava mais e mais úmido, até que a água começava a escorrer no fundo do buraco.

A água que enchia o buraco era suja, mais lama que líquido. Ela ia penetrando tão devagar que levava um longo tempo para encher algumas cuias. Nya ficava agachada junto ao buraco, esperando. Esperando pela água. Ali, por horas a cada vez. E todo dia durante cinco longos meses, até que as chuvas voltassem a cair e ela e sua família pudessem retornar para casa.

Sul do Sudão, 1985

O olho de Salva estava fechado de tão inchado. Os antebraços de Buksa estavam repletos de calombos, em carne viva. Um amigo de Buksa tinha um inchaço no lábio. Todos pareciam como se tivessem estado numa terrível briga.

Mas as feridas não eram de briga. Eram ferroadas de abelhas. Tinham feito uma fogueira debaixo da árvore para a fumaça afugentá-las da colmeia e deixá-las sonolentas. Mas, quando Buksa e os outros jur-chols estavam tirando a colmeia da árvore, as abelhas acordaram e não ficaram nem um pouco contentes em descobrir que sua casa estava sendo levada embora. Expressaram seu descontentamento de forma muito clara, zumbindo, voando ao redor e dando picadas. Um monte de picadas.

"Mas *valeu a pena*", pensava Salva enquanto tocava cautelosamente o olho. Sua barriga era uma protuberância arredondada cheia de mel e cera de abelha. Nada tinha sido tão gostoso quanto aqueles favos gotejando aquela doçura rica, melada e dourada.

Junto com todo o mundo do grupo, ele comera o máximo que podia aguentar – e depois ainda um pouco mais.

Ao seu redor, por todo lado, as pessoas lambiam os dedos com grande satisfação – exceto um homem dinka que havia sido picado *na língua*. Ela estava tão inchada que ele não podia nem fechar a boca; mal podia engolir.

Salva teve muita pena dele. O pobre homem não pôde nem mesmo saborear o mel.

Agora que Salva tinha algo na barriga, a caminhada parecia mais fácil. Ele dera um jeito de guardar um último pedaço de favo e o embrulhara com cuidado numa folha. No fim do dia seguinte, todo o mel já tinha acabado, mas Salva manteve a cera na boca e a mascou como lembrança da doçura.

O grupo ficava um pouco maior a cada dia que passava. Mais gente juntava-se a ele, gente que vinha andando sozinha ou em pequenos grupos de dois ou três. Salva criou o hábito de examiná--lo toda manhã e todo fim de tarde, buscando sua família. Mas eles nunca estavam entre os recém-chegados.

Num entardecer, algumas semanas após Salva ter se juntado ao grupo, ele deu sua habitual caminhada em volta da fogueira, examinando cada rosto na esperança de ver um familiar.

Então...

– *Opa!*

Salva quase perdeu o equilíbrio quando o chão debaixo dele pareceu se mover.

Um garoto se pôs de pé num salto e ficou parado à sua frente.

– Ei! Foi na minha mão que você pisou! – O garoto falava dinka, mas com um sotaque diferente, o que significava que não era da área em volta da aldeia de Salva.

Salva deu um passo para trás.
– Desculpe. Você se machucou?
O garoto abriu e fechou a mão algumas vezes, depois deu de ombros.
– Tudo bem, mas você deveria prestar atenção por onde anda.
– Desculpe – repetiu Salva.
Após um instante de silêncio, virou-se e começou a vasculhar de novo o pessoal.
O garoto ainda estava olhando para ele.
– Sua família? – perguntou.
Salva fez que sim com a cabeça.
– Eu também – disse o garoto. E suspirou.
Salva ouviu esse suspiro até o fundo do seu coração.
Seus olhos se encontraram.
– Eu sou Salva.
– Eu sou Marial.
Foi bom fazer um amigo.

Marial tinha a mesma idade de Salva. Eram quase da mesma altura. Quando andavam lado a lado, os passos eram exatamente do mesmo comprimento. Na manhã seguinte, começaram a andar juntos.
– Você sabe aonde estamos indo? – Salva perguntou.
Marial ergueu a cabeça e pôs a mão junto à testa para proteger os olhos do sol que nascia.
– Para o leste – respondeu em tom esperto. – Estamos andando na direção do sol da manhã.
Salva revirou os olhos.

— Eu *sei* que estamos indo para o leste – disse ele. – Qualquer um pode ver isso. Mas *onde* no leste?

Marial pensou por um momento.

— Etiópia – disse ele. – A leste do Sudão fica a Etiópia.

Salva parou de andar.

— Etiópia? Mas isso é outro país! Não podemos andar a distância toda até lá.

— Estamos andando para leste – Marial disse com firmeza. – A Etiópia fica a leste.

"Não posso ir para outro país", pensou Salva. "Se eu for, a minha família nunca vai me encontrar..."

Marial pôs o braço em torno dos ombros de Salva. Parecia saber o que ele estava pensando, pois disse:

— Não faz mal. Você não sabe que, se continuarmos andando para leste, vamos dar uma volta inteira no mundo e chegar de novo exatamente aqui no Sudão? E aí vamos achar nossa família!

Salva teve de rir. Ambos estavam rindo quando recomeçaram a andar, de braços dados, os passos encaixando-se perfeitamente.

Mais de um mês se passara desde que Salva saíra correndo da escola para entrar no mato. O grupo estava agora caminhando pelas terras do povo Atuot.

Na língua dinka, os atuots eram chamados de "o povo do leão". Sua região era habitada por grandes manadas de antílopes, gnus, gazelas – e os leões eram seus predadores. Os dinkas contavam histórias sobre os atuots. Quando um atuot morria, voltava à terra como leão, com grande fome da carne humana que um dia teve. Dizia-se que os leões da região atuot eram os mais ferozes do mundo.

As noites passaram a ser inquietas. Salva frequentemente acordava com o som de rugidos ao longe e às vezes com o guincho agudo de um animal, vítima das garras de um leão.

Certa manhã, acordou com os olhos turvos de um sono ruim. Esfregou-os, levantou e foi tropeçando atrás de Marial antes que recomeçassem a andar.

— Salva?

Não era Marial quem tinha falado. A voz viera de trás deles. Salva virou-se. Sua boca se escancarou de espanto, mas não conseguiu falar.

— *Salva!*

CAPÍTULO SEIS

Sul do Sudão, 2008

A família de Nya já vinha ao acampamento do lago havia gerações. A própria Nya estivera ali todos os anos desde que nascera. Uma coisa de que ela gostava no acampamento era que, mesmo que tivesse que cavar no barro e esperar pela água, não precisava fazer todo dia duas longas caminhadas até a lagoa. Mas este ano ela percebeu pela primeira vez que sua mãe detestava o acampamento.

Eles não tinham casa e precisavam dormir em abrigos improvisados. Não podiam trazer a maioria de suas coisas, de modo que tinham de se arranjar com o que estivesse à mão. E durante grande parte do dia tinham de cavar em busca de água.

Mas o pior era o olhar no rosto da mãe quando o pai de Nya e seu irmão mais velho, Dep, saíam para caçar.

Medo.

Ela tinha medo. Medo de que os homens da família dessem de cara com gente da tribo Dinka em algum lugar, e que começassem a brigar e ficassem feridos – ou pior.

Em todos esses anos tiveram sorte. Ninguém da família de Nya fora ferido ou morto por dinkas. Mas ela conhecia outras famílias que haviam perdido entes queridos dessa maneira.

Nya podia ver as perguntas no rosto da mãe toda manhã. Continuariam tendo sorte? Ou seria agora sua vez de perder alguém?

Sul do Sudão, 1985

A boca de Salva se fechou e se abriu de novo, como se ele fosse um peixe. Tentou falar, mas nenhum som saiu. Tentou se mexer, mas os pés pareciam presos ao chão.

– Salva! – o homem disse outra vez, e correu ao seu encontro. Quando estava a apenas alguns passos, Salva de súbito encontrou sua voz.

– Tio! – ele gritou, e correu para os braços do homem.

Tio Jewiir era o irmão mais novo do pai de Salva. Ele não o vira nos dois últimos anos porque estava no exército.

"Titio deve estar sabendo sobre a guerra e os combates! Talvez ele saiba onde minha família está!"

Mas essas esperanças foram desfeitas assim que o tio falou.

– Você está sozinho? Onde está sua família? – perguntou ele.

Salva não sabia como começar a responder. Pareciam anos desde que ele fugira correndo da escola para entrar no mato. Mas contou tudo ao tio da melhor maneira que pôde.

Enquanto Salva falava, o tio assentia ou sacudia a cabeça. Sua fisionomia ficou muito grave quando Salva lhe contou que não tinha visto nem ouvido uma única palavra de sua família durante todo aquele tempo. A voz de Salva falhava, e ele baixava a cabeça.

Estava contente por ver novamente o tio, mas parecia que ele também não seria de muita ajuda.

O tio ficou quieto por um instante. Então deu palmadinhas no ombro de Salva. – Ei, sobrinho! – disse com voz animada. – Estamos juntos agora, então eu vou cuidar de você!

Acontece que o tio tinha se juntado ao grupo três dias antes, mas como eram mais de 30 pessoas viajando juntas, só haviam conseguido se encontrar agora. Quando começaram a caminhar, Salva viu que o tio tinha uma arma – um rifle que carregava numa tira pendurada no ombro. Salva sabia que, por causa da sua experiência no exército e por ter uma arma, o tio era visto pelo grupo como uma espécie de líder.

– Sim, quando deixei o exército me deixaram ficar com o rifle – o tio explicou. – Então vou caçar para nós uma bela refeição assim que cruzarmos com alguma coisa que valha a pena comer!

O tio cumpriu sua palavra. Naquele mesmo dia matou um antílope jovem, do tipo chamado topi. Salva mal podia esperar para o animal ser esfolado, cortado e assado. Quando um aroma fumegante e carnudo encheu o ar, ele teve de engolir a saliva que encharcava sua boca.

O tio ria vendo o menino devorar seu primeiro pedaço de carne.

– Salva, você tem dentes! Deve usá-los quando come!

Salva não conseguiu responder, estava ocupado demais enchendo a boca com outro naco da deliciosa carne tostada.

Mesmo sendo um topi pequeno, havia carne suficiente para todo mundo no grupo. Mas não levou muito tempo para Salva lamentar sua pressa em comer. Depois de tantas semanas quase morrendo de fome, seu estômago se ressentiu. Ele passou a maior parte da noite vomitando.

Salva não foi o único. Toda vez que seu estômago pesado o despertava, ele corria para a beirada do acampamento para vomitar e encontrava outros fazendo o mesmo. Em certo momento, Salva viu-se numa fila de meia dúzia de pessoas, todas numa pose idêntica: curvadas, segurando a barriga e esperando a próxima onda de náuseas.

Poderia ter sido engraçado se não fosse uma sensação tão ruim.

O grupo continuou a caminhar pelo território atuot. Todo dia viam-se leões, geralmente descansando à sombra de pequenas árvores. Uma vez, ao longe, viram um leão perseguindo um topi. O topi escapou, mas ao longo do caminho Salva viu os ossos de presas que não haviam tido tanta sorte.

Salva e Marial ainda andavam juntos, permanecendo perto do tio. Às vezes ele andava com outros homens e conversava seriamente sobre a jornada. Nessas horas, Salva e Marial ficavam respeitosamente para trás, mas Salva sempre tentava manter o tio à sua vista. E à noite dormia perto dele.

Um dia o grupo começou a andar no fim da tarde, na esperança de achar um charco antes de instalar-se para o pernoite. Mas não havia água em nenhum lugar, embora tivessem procurado ao longo de quilômetros. Continuaram andando a noite toda. Andaram por dez horas, e ao amanhecer todo mundo estava exausto.

O tio e outros líderes finalmente decidiram que o grupo precisava descansar. Salva deu dois passos para fora da trilha e caiu no sono quase antes de deitar.

Não acordou até sentir a mão do tio sacudindo seu ombro. Ao abrir os olhos, ouviu um lamento. Era alguém chorando. Salva piscou para afastar a sonolência e olhou para o tio, cuja expressão era muito séria.

– Sinto muito, Salva – ele disse baixinho. – Seu amigo...

"Marial?" Salva olhou em volta. "Ele deve estar em algum lugar por perto... Não lembro se dormiu perto de mim... eu estava tão cansado... talvez tenha ido procurar alguma coisa para comer..."

O tio afagou a cabeça de Salva como se ele fosse um bebê.

– Sinto muito – ele disse outra vez.

Um punho frio pareceu agarrar o coração de Salva.

CAPÍTULO SETE

Sul do Sudão, 2008

❂

Nya sentou-se no chão. Estendeu o braço e pegou a mão da sua irmãzinha. Akeer não pareceu notar. Estava deitada de lado, encolhida, mal se mexendo, quieta, exceto por um gemido ocasional. Seu silêncio deixava Nya apavorada. Somente dois dias antes, Akeer fizera muito barulho queixando-se longamente de dores na barriga. Nya tinha se aborrecido com todo aquele lamento. Agora, sentia-se culpada, pois podia ver que a irmã já não tinha mais força suficiente para se queixar.

Nya conhecia muita gente que sofria da mesma doença. Primeiro cãibras e dor de barriga, depois diarreia. Às vezes febre, também. A maioria dos adultos e das crianças mais velhas que adoeciam recuperava-se pelo menos o suficiente para voltar a trabalhar, embora continuasse a sofrer intermitentemente durante anos.

Para os mais idosos e as crianças pequenas, a doença podia ser perigosa. Incapaz de conseguirem reter qualquer coisa no corpo, muitos padeciam de fome até a morte, mesmo tendo comida à sua frente.

O tio de Nya, chefe da aldeia, conhecia uma clínica médica a alguns dias de caminhada. Ele disse à família que, se conseguissem levar Akeer até lá, os médicos lhe dariam remédios para ajudá-la a melhorar.

Mas uma viagem como essa poderia ser muito difícil para Akeer. Deviam ficar no acampamento e deixá-la repousar para poder se curar sozinha? Ou deviam começar a longa e dura caminhada com a esperança de chegar ao socorro a tempo?

Sul do Sudão, 1985

A caminhada recomeçou. Salva tremia de terror por dentro e por fora.

Agarrou-se ao tio como um bebê ou um menininho pequeno, segurando sua mão ou a ponta de sua camisa sempre que podia, sem deixar que se afastasse mais que a distância de um braço. Olhava toda hora ao redor. Todo movimento na grama era um leão à espreita, toda calmaria era um leão pronto para dar o bote.

Marial se fora, sumira na noite. Ele jamais teria se afastado do grupo sozinho. Seu desaparecimento só podia significar uma coisa.

Leão.

Um leão estava faminto o bastante para se aproximar do grupo enquanto eles dormiam. Alguns homens estavam montando guarda, mas no escuro da noite, com o vento soprando e provocando ondas na relva crescida, o leão poderia facilmente ter se aproximado sem ser visto. Ele estivera à procura de uma presa pequena e imóvel: Marial dormindo.

E o animal o levara embora, deixando apenas algumas manchas de sangue perto da trilha.

Se não tivesse sido o tio, Salva poderia ter enlouquecido de medo. O tio falava com ele toda manhã, em voz baixa e firme.

— Salva, eu tenho um rifle. Matarei qualquer leão que chegue perto.

— Salva, vou ficar acordado esta noite e montar guarda.

— Salva, logo estaremos fora do território dos leões. Tudo vai ficar bem.

Escutando o tio, correndo para ficar perto dele, Salva era capaz de fazer os pés se mexerem, apesar do terror gelado que tomava conta de todo o seu corpo.

Mas nada estava bem. Ele havia perdido a família e agora também perdera seu amigo.

Ninguém tinha ouvido gritos na noite. Salva esperava de todo coração que o leão tivesse matado Marial instantaneamente — que seu amigo não tivesse tido tempo de sentir medo ou dor.

A paisagem ficou mais verde. Havia cheiro de água no ar.

— O Nilo — disse o tio. — Logo vamos chegar ao rio e atravessar para o outro lado.

O Nilo: o rio mais comprido do mundo, a mãe de toda a vida no Sudão. O tio explicou que chegariam a um dos seus trechos mais largos.

— Nem vai parecer um rio. Vai parecer um grande lago. Vamos passar um longo tempo atravessando para chegar ao outro lado.

— E o que há do outro lado? — sussurrou Salva, ainda temeroso.

— Deserto — respondeu o tio. — E, depois, a Etiópia.

Os olhos de Salva encheram-se de lágrimas. Marial estava certo em relação à Etiópia. "Como eu gostaria que ele estivesse aqui, para poder dizer que eu estava errado."

Salva ficou parado na margem do Nilo. Ali, conforme dissera o tio, o rio era como um grande lago.

O tio disse que o grupo cruzaria o Nilo em barcos. Levaria um dia inteiro para chegar às ilhas no meio, e mais outro para chegar à margem oposta.

Salva franziu a testa. Não via barcos em lugar nenhum.

O tio sorriu com a expressão intrigada de Salva.

– O quê? Você não trouxe seu próprio barco? – disse ele. – Então espero que seja um bom nadador.

Salva baixou a cabeça. Sabia que o tio estava brincando, mas sentia-se tão cansado – cansado de se preocupar com sua família, cansado de pensar no pobre Marial, cansado de caminhar sem saber para onde estavam indo. O mínimo que o tio podia fazer era contar-lhe a verdade sobre os barcos.

O tio pôs o braço em torno dos ombros de Salva.

– Você vai ver. Temos muito trabalho pela frente.

Salva cambaleou para a frente com uma enorme carga de juncos nos braços. Todo mundo estava ocupado. Algumas pessoas cortavam a alta mata de papiro junto à margem. Outras, como Salva, juntavam os caules cortados e os levavam aos construtores de barcos.

No grupo havia algumas pessoas cujas aldeias de origem ficavam perto de rios ou lagos. Elas sabiam como amarrar os juncos e entrelaçá-los para formar canoas rasas.

Todo mundo trabalhava depressa, embora não soubessem se deviam se apressar ou não, nem quão perto a guerra estava. Os combates podiam estar a quilômetros de distância – ou um avião carregando bombas podia passar voando a qualquer momento.

Era um trabalho duro ficar indo e voltando entre os cortadores de junco e os construtores de barcos. Mas Salva achou que aquilo o fazia sentir-se um pouco melhor. Estava ocupado demais para se preocupar. Fazer alguma coisa, até mesmo carregar grandes e desajeitadas pilhas de junco escorregadio, era melhor do que não fazer nada.

Toda vez que Salva entregava um carga de junco, fazia uma pausa para admirar as habilidades dos construtores. Os longos juncos eram dispostos em montes bem arrumados. Cada extremidade era unida e amarrada com força. Então o monte de junco arrumado era separado no meio para abrir um buraco, e os dois lados eram amarrados no comprimento para dar o formato padrão de um barco. Outras camadas de junco eram adicionadas e amarradas para fazer o fundo do barco. Salva observava, fascinado, como aos poucos a curva da proa e as laterais baixas iam se formando com o junco.

Foram necessários dois dias inteiros para o grupo construir canoas suficientes. Cada uma foi testada; algumas não flutuaram bem e tiveram de ser reparadas. Então mais juncos foram amarrados para formar remos.

Por fim, tudo ficou pronto. Salva entrou numa canoa entre o tio e outro homem. Agarrou as laterais com força enquanto flutuava pelo Nilo.

CAPÍTULO OITO

Sul do Sudão, 2008

✦

O som da risada de Akeer era como música. O pai de Nya tinha resolvido que Akeer precisava de um médico. Então Nya e sua mãe a levaram a um lugar especial: uma grande tenda branca cheia de pessoas que estavam doentes ou feridas, com médicos e enfermeiras para ajudá-las. Depois de apenas duas doses de medicamento, Akeer já era quase ela mesma de novo, continuava magra e fraca, mas já capaz de rir com Nya, que ficava sentada no chão ao lado do seu catre fazendo uma brincadeira de palmas.

A enfermeira, uma mulher branca, conversava com a mãe de Nya.

– A doença veio da água – explicou. – Ela só pode beber água limpa e boa. Se estiver suja, devem fervê-la e contar até 200 antes de beber.

A mãe de Nya assentia mostrando entender, mas Nya podia ver a preocupação nos seus olhos.

A água dos buracos no leito do lago só podia ser coletada em pequeninas quantidades. Se sua mãe tentasse fervê-la, a panela estaria seca muito antes de conseguirem contar até 200.

A parte boa era que em breve retornariam à aldeia. A água que Nya pegava na lagoa no galão plástico podia ser fervida antes de beberem.

Mas e quanto ao próximo ano no acampamento? E o ano depois desse?

E mesmo em casa, sempre que Nya fazia a longa e quente caminhada até a lagoa, precisava beber água logo que chegava lá. Ela jamais conseguiria impedir Akeer de fazer a mesma coisa.

Sul do Sudão, 1985

A superfície do lago estava calma e, uma vez que os barcos se afastaram da margem, não havia muito para ver – apenas água e mais água.

Eles remaram durante horas. O cenário e o movimento eram tão monótonos que Salva poderia ter dormido, só que tinha medo de cair por cima da borda do barco. Manteve-se acordado contando as remadas que o tio dava e tentando avaliar o quanto a canoa avançava a cada 20 remadas.

Finalmente, os barcos atracaram numa ilha no meio do rio. Era onde os pescadores do Nilo viviam e trabalhavam.

Salva ficou espantado com o que viu na comunidade de pesca. Foi o primeiro lugar em semanas de caminhada que tinha abundância de comida. O pessoal da aldeia comia muito peixe, é claro, bem como carne de hipopótamo e crocodilo. Porém o mais impressionante era a quantidade dos cultivos: mandioca, cana-de-açúcar, inhame... Era fácil cultivar comida quando havia um rio inteiro para irrigar as plantas!

Nenhum dos viajantes tinha dinheiro ou qualquer coisa de valor para comerciar, então tiveram de rogar por comida. A exceção foi o tio. Os pescadores lhe deram comida sem que ele precisasse pedir. Salva não conseguiu saber se era porque ele parecia ser o líder do grupo ou porque estavam com medo de seu rifle.

O tio dividiu sua comida com Salva: um pedaço de cana-de-açúcar para chupar na mesma hora, depois peixe cozido no fogo e inhame tostado nas cinzas.

O suco da cana matou a parte mais aguda da fome de Salva. Ele pôde comer o resto da refeição bem devagar, fazendo com que cada mordida durasse muito tempo.

Em casa, Salva nunca passara fome. Sua família possuía muito gado, estava entre as mais abastadas da aldeia de Loun-Ariik. Comiam basicamente um mingau feito de sorgo e leite. Vez ou outra, seu pai ia ao mercado de bicicleta e trazia sacos de feijão e arroz, que tinham sido cultivados em outro lugar, porque havia poucas culturas possíveis na região seca semideserta de Loun-Ariik.

De sobremesa, seu pai às vezes comprava mangas. Um saco de mangas era difícil de levar, especialmente quando a bicicleta já estava carregada de outros produtos. Então ele as enfiava entre os aros das rodas da bicicleta. Quando Salva corria para recebê-lo, podia ver as mangas de casca verde girando alegremente, formando um borrão conforme seu pai pedalava.

Salva pegava uma manga da roda antes mesmo de seu pai desmontar da bicicleta. Sua mãe a descascava para ele, e as entranhas suculentas do fruto eram da mesma cor que o lenço na sua cabeça. Ela cortava a polpa para desgrudá-la do grande caroço achatado. Salva adorava aquelas fatias doces, mas sua parte predileta era o caroço. Sempre sobrava muita fruta grudada teimosamente ao caroço. Ele o chupava e mordiscava para aproveitar cada restinho, fazendo a manga durar horas.

Não havia mangas nos grandes armazéns dos pescadores, mas chupar o pedaço de cana fez com que Salva se lembrasse daqueles tempos felizes. Ele imaginou se algum dia voltaria a ver o pai montado numa bicicleta com mangas nas rodas.

Quando o sol tocou o horizonte, os pescadores entraram de modo abrupto em suas tendas. Não eram realmente tendas – apenas telas brancas penduradas ou estendidas para formar um espaço dentro do qual pudessem se deitar. Nenhum pescador ficou para conversar ou comer ou fazer qualquer outra coisa. Era quase como se todos tivessem desaparecido no mesmo instante.

Apenas alguns minutos depois, os mosquitos levantaram-se da água, dos juncos, de todo lugar. Surgiram enormes nuvens escuras deles, seu zunido agudo enchendo o ar. Milhares, talvez milhões, de insetos famintos chegaram em massa tão depressa que Salva, se não tomasse cuidado, poderia acabar com a boca cheia deles numa única respirada. E, mesmo tomando, eles estavam por todo lado: olhos, nariz, ouvidos, em cada parte do seu corpo.

Os pescadores permaneceram dentro das telas a noite toda. Tinham até cavado pequenos canais para poderem urinar sem ter de sair.

Não importava quantas vezes Salva atingisse os mosquitos, ou que um golpe matasse dezenas deles de uma só vez. Para cada morto, parecia que centenas de outros pululavam para tomar seu lugar. Com o zunido agudo e constante nos ouvidos, Salva passou a noite toda frustrado, batendo e gesticulando para afastá-los.

Ninguém no grupo conseguiu dormir. Os insetos encarregaram-se disso.

Pela manhã, Salva estava coberto de picadas. As piores eram bem no meio das costas, onde ele não alcançava para coçar. As que alcançava, porém, Salva coçava até sangrar.

Os viajantes entraram mais uma vez nos barcos, para remar da ilha até ao outro lado do Nilo. Os pescadores tinham avisado ao grupo para levar muita água para o trecho seguinte da viagem. Salva ainda tinha as cabaças que a velha lhe dera. Outros também tinham cabaças ou garrafas plásticas. Mas alguns não possuíam pote nenhum. Rasgaram tiras de roupa e as encharcaram numa tentativa desesperada para levar pelo menos um pouco de água consigo.

A seguir a parte mais difícil da viagem os esperava: o deserto de Akobo.

CAPÍTULO NOVE

Sul do Sudão, 2008

A família de Nya regressou à aldeia vários meses antes do dia em que chegaram as visitas; na verdade, já era quase hora de partir de novo para o acampamento. Enquanto o jipe subia, a maioria das crianças correu ao seu encontro. Tímida diante dos estranhos, Nya se manteve atrás.

Dois homens surgiram de dentro do jipe. Falaram com os garotos maiores, inclusive o irmão de Nya, Dep, que os levou para a casa do chefe da aldeia, seu tio.

O chefe saiu da casa para saudar os visitantes. Sentaram-se na sombra da casa com alguns outros homens da aldeia, tomaram chá e conversaram por algum tempo.

– Do que eles estão falando? – Nya perguntou.

– Alguma coisa sobre água – Dep respondeu.

Água? A água mais próxima era a lagoa, é claro, a meia manhã de caminhada.

Qualquer um podia ter-lhes dito isso.

Sul do Sudão, 1985

Salva nunca tinha visto nada parecido com o deserto. Em torno da sua aldeia, Loun-Ariik, crescia grama e mato suficiente para servir de pasto para o gado. Havia até mesmo árvores. Mas no deserto nada verde conseguia sobreviver, exceto minúsculos pés de acácias sempre-vivas, que de algum modo aguentavam os longos meses de inverno quase sem água.

O tio disse que levariam três dias para cruzar o Akobo. Os sapatos de Salva não tinham chance contra o chão quente e pedregoso do deserto. As solas, feitas de tiras de borracha de pneu, já haviam se reduzido a frangalhos que se mantinham juntos por meio de um pequeno pedaço de couro e uma grande dose de esperança. Depois de alguns minutos, Salva teve de jogar fora os frangalhos soltos e continuar descalço.

O primeiro dia no deserto deu a sensação de ser o mais longo que Salva já tinha vivido. O sol era inclemente e eterno. Não havia nuvem nem brisa para aliviar. Cada minuto da caminhada naquele calor árido dava a sensação de uma hora inteira. Até respirar virou um esforço. Cada respiração parecia esvaziar sua força em vez de restaurá-la.

Espinhos espetavam seus pés. Os lábios ficaram rachados e queimados. O tio o advertiu para fazer a água na cabaça durar o máximo possível. Foi a coisa mais difícil que Salva já tinha feito, tomar apenas goles mínimos quando seu corpo gritava por tragos enormes daquela água vital.

O pior momento do dia foi perto do fim. Salva bateu o dedão descalço numa pedra, e a unha inteira saiu.

A dor foi terrível. Ele tentou morder o lábio, mas o horror daquele dia interminável era demais. Baixou a cabeça e as lágrimas começaram a escorrer.

Logo estava chorando tanto que mal conseguia respirar. Não era capaz de pensar, não podia ver. Teve de diminuir o passo e, pela primeira vez na longa jornada, começou a ficar para trás. Tropeçando às cegas, não notou o grupo cada vez mais longe à sua frente. Como num passe de mágica, de repente o Tio estava ao seu lado.

– Salva Mawien Dut Ariik! – disse ele, usando o nome completo de Salva, em voz alta e clara.

Salva levantou a cabeça, os soluços interrompidos pela surpresa.

– Está vendo aquele grupo de arbustos? – o tio perguntou, apontando. – Você só precisa conseguir chegar até ele. Você consegue fazer isso, Salva Mawien Dut Ariik?

Salva enxugou os olhos com as costas da mão. Ele podia ver os arbustos, não pareciam muito distantes.

O tio pôs a mão na sua sacola. Tirou um tamarindo e o deu para ele.

Mastigar a fruta azeda fez Salva sentir-se um pouco melhor.

Quando chegaram aos arbustos, o tio apontou para um amontoado de rochas mais adiante e disse a Salva para andar até elas. Depois disso, uma acácia solitária... um monte de rochas... um ponto sem nada a não ser areia.

O tio continuou deste modo pelo resto da caminhada. Toda vez, falava com Salva usando seu nome completo. Toda vez, Salva pensava na sua família e na sua aldeia, e de alguma maneira era capaz de manter o pé machucado movendo-se para a frente, um passo dolorido de cada vez.

Por fim, o sol deixou relutantemente o céu. Uma escuridão abençoada caiu sobre o deserto, e chegara a hora de descansar.

O dia seguinte foi uma cópia exata do anterior: o sol, o calor e, o pior de tudo na opinião de Salva, uma paisagem totalmente inalterada. As mesmas rochas. As mesmas acácias. O mesmo pó. Não havia uma única coisa para indicar que o grupo estava fazendo algum progresso na travessia do deserto. Salva sentia-se como se tivesse andado horas e permanecido exatamente no mesmo lugar.

O calor feroz formava ondas cintilantes que faziam tudo tremeluzir. Ou era ele que estava tremendo? O grande amontoado de rochas lá na frente parecia se mexer.

E *estava* se mexendo. Não eram rochas coisa nenhuma.

Eram pessoas.

O grupo de Salva chegou mais perto. Ele contou nove homens, todos caídos na areia.

Um deles fez um pequeno movimento desesperado com a mão. Outro tentou erguer a cabeça, mas ela caiu de volta. Nenhum fazia qualquer som.

Enquanto Salva observava, percebeu que cinco dos homens estavam completamente imóveis.

Uma das mulheres no grupo de Salva adiantou-se abrindo caminho e ajoelhou-se. Pegou seu pote de água.

– O que você está fazendo? – um homem gritou. – Não vai conseguir salvá-los!

A mulher não respondeu. Quando olhou para cima, Salva pôde ver lágrimas nos seus olhos. Ela balançou a cabeça, depois derramou um pouco de água num pano e começou a molhar os lábios de um dos homens na areia.

Salva olhou para os olhos vazios e os lábios rachados dos homens deitados na areia quente e sentiu sua própria boca tão seca que quase engasgou quando tentou engolir.

– Se você lhes der sua água, não terá o bastante para si! – a mesma voz berrou. – É inútil, eles vão morrer, e você vai morrer com eles!

CAPÍTULO DEZ

Sul do Sudão, 2008

Os homens terminaram a reunião. Todos se levantaram e começaram a andar, passando pela casa de Nya. Ela juntou-se à multidão de crianças que os seguia. A alguns minutos de caminhada além da casa, havia uma árvore. Os homens pararam junto a ela, e os estranhos falaram um pouco mais com o tio de Nya.

Havia outra árvore a cerca de 50 passos da primeira. Com o tio de Nya ao seu lado, um dos homens parou na metade da distância entre as duas árvores. Outro homem andou o resto do caminho e examinou a segunda árvore.

O primeiro chamou o amigo numa língua que Nya não entendeu. Ele respondeu na mesma língua, mas, enquanto voltava para o grupo, traduziu para o chefe, e Nya pôde ouvi-lo.

– O ponto é este, entre as duas árvores maiores. Vamos encontrar água aqui.

Nya balançou a cabeça. Do que eles estavam falando? Ela conhecia o lugar como a palma da sua mão. Era ali, entre as duas árvores, que a aldeia às vezes se reunia para cantar e conversar em volta da fogueira.

Não havia uma única gota de água naquele ponto, a não ser que estivesse chovendo!

Sul do Sudão, 1985

Salva tentou pegar sua cabaça. Sabia que ela estava pela metade, mas de repente a sentiu muito mais leve, como se quase não restasse água nenhuma nela.

Tio Jewiir deve ter adivinhado o que ele estava pensando.

– Não, Salva – murmurou ele. – Você é pequeno demais, e ainda não é forte o suficiente. Sem água não vai sobreviver o resto da caminhada. Alguns dos outros vão conseguir melhor do que você.

O certo era que agora havia três mulheres dando água aos homens no chão.

Como um milagre, as pequenas porções de água os reviveram. Eles foram capazes de se por de pé e se juntar ao grupo enquanto a caminhada prosseguia.

Mas seus cinco companheiros mortos foram deixados para trás. Não havia ferramentas para cavar, e, além disso, enterrar os homens mortos teria levado muito tempo.

Salva tentou não olhar enquanto passava andando pelos corpos, mas seus olhos eram atraídos naquela direção. Ele sabia o que aconteceria. Abutres os achariam e arrancariam a carne apodrecida até que restassem apenas ossos. Sentiu-se enjoado pensando naqueles homens: primeiro, morrer de um jeito tão horrível, depois, ter seus corpos destroçados.

Se ele fosse mais velho e mais forte, teria dado água para aqueles homens? Ou teria, como a maior parte do grupo, guardado sua água para si mesmo?

Era o terceiro dia no deserto. Ao pôr do sol, estariam fora dele, e depois disso não demoraria muito para chegar ao campo de refugiados de Itang, na Etiópia.

Enquanto atravessavam penosamente o calor, Salva finalmente teve uma chance de falar com o tio sobre uma preocupação que vinha crescendo nos seus pensamentos como uma comprida sombra.

– Tio, se eu estiver na Etiópia, como é que meus pais vão me achar? Quando vou poder voltar para Loun-Ariik?

– Conversei com os outros aqui – o tio respondeu. – Acreditamos que a aldeia de Loun-Ariik foi atacada e provavelmente incendiada. A sua família... – O tio fez uma pausa e desviou o olhar. Quando olhou de volta, sua expressão estava solene. – Salva, pouca gente sobreviveu ao ataque à aldeia. Qualquer um que ainda estivesse vivo teria fugido para o mato, e ninguém sabe onde estão agora.

Salva ficou em silêncio por um momento. Então disse:

– Pelo menos você vai estar lá comigo, na Etiópia.

O tom de voz do tio foi delicado:

– Não, Salva. Vou levar vocês até o campo de refugiados e então vou voltar para o Sudão, para lutar na guerra.

Salva parou de andar e agarrou o braço do tio.

– Mas, tio, não vou ter ninguém! Quem vai ser minha família?

O tio soltou delicadamente a mão de Salva para poder tomá--la nas suas.

– Haverá muita gente no campo. Você fará amizade com alguns deles, formará uma espécie de família ali. Eles também vão precisar de pessoas das quais possam depender.

Salva balançou a cabeça, incapaz de imaginar como seria a vida no campo sem o tio. Apertou a mão dele com força.

O tio levantou-se em silêncio e não disse mais nada.

"Ele sabe que vai ser difícil para mim", Salva percebeu. "Não quer me deixar lá, mas precisa voltar e lutar pelo seu povo. Não devo me comportar como um bebê, tenho que tentar ser forte..."
Salva engoliu em seco.

– Tio, quando você voltar para o Sudão, pode ser que encontre meus pais em algum lugar. Você poderia lhes dizer onde estou. Ou poderia falar com as pessoas que encontrar e perguntar sobre as pessoas de Loun-Ariik.

O tio não respondeu de imediato. Então disse:
– É claro que farei isso, sobrinho.

Salva sentiu uma minúscula centelha de esperança. Com o tio procurando pela sua família, havia uma chance de algum dia poderem estar juntos de novo.

Ninguém no grupo havia comido nada por dois dias. A água tinha quase acabado. Somente a ideia de sair do deserto os mantinha em movimento através do calor e da poeira.

No começo da tarde, depararam com a primeira evidência de que o deserto estava acabando: algumas árvores ressecadas perto de uma pequena lagoa rasa de água barrenta. A água não servia para beber, e havia uma cegonha morta na margem. Imediatamente, o grupo começou a fazer preparativos para cozinhar e comer a ave. Salva ajudou a catar gravetos para o fogo.

Enquanto a ave ia sendo assada, Salva quase não conseguia tirar seus olhos dela. Haveria apenas o suficiente para uma ou duas dentadas para cada pessoa, mas ele mal podia esperar.

Então ouviu vozes altas. Com o resto do grupo, virou-se e viu seis homens vindo na direção deles. Quando se aproximaram, viu que estavam armados com rifles e facões.

Os homens começaram a berrar.
— Sentados!
— Mãos na cabeça!
— Todos vocês! Agora!
Todos no grupo sentaram-se imediatamente. Salva teve medo das armas e pôde ver que os outros também tinham.
Um dos homens andou pelo meio do grupo e parou diante do tio. Salva podia saber pelas cicatrizes rituais na face dele que era da tribo Nuer.
— Vocês estão com os rebeldes? – o homem perguntou.
— Não – respondeu o tio.
— De onde vieram? Para onde estão indo?
— Viemos do oeste do Nilo – respondeu o tio. – Estamos indo para Itang, para o campo de refugiados.
O homem disse ao tio para levantar-se e deixar a arma no lugar em que estava. Dois dos outros homens levaram-no para uma árvore a alguns metros de distância e o amarraram.
Então os homens andaram pelo meio do grupo. Se alguém estivesse carregando uma sacola eles a abriam e pegavam tudo o que havia dentro. Mandaram algumas pessoas tirar a roupa e levaram-na também.
Salva estava tremendo. Mesmo no meio do seu medo, percebeu que pela primeira vez na viagem era bom ser o menor e mais novo. Os homens não iam se interessar pelas suas roupas.
Quando terminaram o saque, os homens pegaram a arma do tio. Então foram até a árvore onde ele estava amarrado.
"Talvez nos deixem em paz agora que nos assaltaram", pensou Salva.

Ouviu os homens rindo.

Enquanto Salva observava, um deles apontou a arma para o tio.

Ouviram-se três tiros. Então os homens fugiram correndo.

CAPÍTULO ONZE

Sul do Sudão, 2008

Depois que os homens foram embora da aldeia, começou o serviço de limpar a área entre as duas árvores. Foi um trabalho muito duro. As árvores menores e arbustos precisaram ser queimados ou arrancados. A grama alta teve de ser ceifada e arrancada com a enxada. Além disso, era um trabalho perigoso, pois cobras e escorpiões venenosos se escondiam na grama.

Nya ainda fazia as duas viagens diárias para a lagoa. Cada vez que voltava, podia ver que, devagar mas com firmeza, a mancha de área limpa ia aumentado.

A terra era seca e dura feito pedra. Nya sentia-se intrigada e cheia de dúvida. "Como pode haver água num lugar como esse?"

Quando fez esta pergunta a Dep, ele sacudiu a cabeça. Ela podia ver a dúvida também nos olhos dele.

Sul do Sudão e Etiópia, 1985

O grupo enterrou o tio num buraco de dois pés de profundidade, que tinha sido feito por algum animal. Por respeito a ele, naquele dia o grupo não andou mais, dedicando o tempo a chorar a morte do homem que havia sido seu líder.

Salva estava entorpecido demais para pensar, e quando lhe ocorriam pensamentos pareciam tolos. Estava aborrecido porque não poderiam comer. Enquanto os homens saqueavam o grupo, outras aves tinham vindo bicar a cegonha assada até não restar nada a não ser ossos.

O tempo de chorar a morte foi curto, e a caminhada foi retomada logo depois de escurecer. Apesar do torpor no coração, Salva ficou espantado ao descobrir-se andando mais rápido e com mais coragem que antes.

Marial se fora. O tio também, assassinado por aqueles nuers bem diante dos olhos dele. Os dois não estavam mais ao seu lado, e jamais estariam de novo, mas Salva sabia que iam querer que ele sobrevivesse, que terminasse a viagem e chegasse ao campo de refugiados de Itang a salvo. Era quase como se tivessem deixado sua força com ele, para ajudá-lo na jornada.

Salva não conseguia pensar em nenhuma outra explicação para seu sentimento. Mas não havia dúvida. Por baixo da sua terrível tristeza, sentia-se mais forte.

Agora que estava sem os cuidados e proteção do tio, a atitude do grupo em relação a ele mudou. Novamente resmungavam que era jovem e pequeno demais, que poderia retardá-los e começar a chorar, como tinha feito no deserto.

Ninguém dividia nada com ele, nem comida nem companhia. O tio sempre dividia animais e pássaros que matava com todo mundo no grupo. Mas parecia que haviam esquecido isso, pois Salva agora tinha de implorar por migalhas, que eram dadas de má vontade.

A maneira como o tratavam fez Salva sentir-se ainda mais forte. "Não resta ninguém para me ajudar. Eles acham que eu sou fraco e inútil."

Salva ergueu a cabeça com orgulho. "Eles estão errados, e eu vou provar."

Salva nunca antes vira tanta gente num só lugar ao mesmo tempo. Como podia haver tantas pessoas no mundo? Mais de centenas. Mais de milhares. Milhares de milhares. Pessoas em filas, em massas, amontoadas. Pessoas zanzando, paradas, sentadas ou agachadas no chão, deitadas de pernas encolhidas porque não havia espaço suficiente para se esticar.

O campo de refugiados em Itang estava cheio de gente de todas as idades: homens, mulheres, meninas, crianças pequenas... Mas a maioria dos refugiados era de meninos e rapazes que tinham fugido de suas aldeias quando a guerra chegou. Isso porque corriam perigo duplo: com a guerra em si e os exércitos de ambos os lados. Rapazes, e às vezes até mesmo meninos, muitas vezes eram forçados a aderir à luta, e era por isso que suas famílias e comunidades – inclusive o diretor da escola de Salva – os mandavam correr para o mato ao primeiro sinal de luta.

Crianças que chegavam ao campo de refugiados sem sua família eram agrupadas, portanto Salva foi imediatamente separado das pessoas com quem viajara. Mesmo que não tivessem sido gentis com ele, pelo menos as conhecia. Agora, mais uma vez entre estranhos, sentia-se inseguro e até mesmo temeroso.

Ao percorrer o campo junto com vários outros meninos, Salva olhava para todo rosto pelo qual passava. O tio dissera que ninguém sabia ao certo onde sua família estava... então, não haveria ao menos uma chance de que pudessem estar ali no campo? Salva olhou ao redor para as massas de pessoas que se estendiam até onde a vista alcançava. Sentiu seu coração apertar um pouco, mas fechou os punhos com força e fez a si mesmo uma promessa:

"Se estiverem aqui, vou achá-los."

Depois de tantas semanas de caminhada, Salva achava estranho ficar num mesmo lugar. Durante aquela longa e terrível trilha, encontrar um lugar seguro para ficar por algum tempo era muito importante. Mas agora que estava no campo, sentia-se irrequieto, quase como se devesse recomeçar a andar.

O campo estava a salvo da guerra. Não havia homens com rifles ou facões, nem aviões com bombas voando. Na noite daquele primeiro dia, Salva recebeu uma tigela de milho cozido para comer, e outra igual na manhã seguinte. As coisas já estavam melhores do que tinham sido na viagem.

Durante a tarde do segundo dia, Salva abriu lentamente caminho entre a multidão. Acabou encontrando o portão da entrada principal do campo, e observou mais pessoas chegando. Não parecia que o lugar tivesse possibilidade de abrigar mais gente, mas elas continuavam vindo: longas filas de pessoas, algumas debilitadas, outras feridas ou enfermas, todas exaustas.

Enquanto Salva examinava as faces, uma faísca cor de laranja captou seu olhar.

"Laranja... um lenço de cabeça cor de laranja..."

Começou a empurrar e tropeçar nas pessoas. Alguém falou com ele zangado, mas Salva não parou para se desculpar. Ainda podia ver o vívido pontinho laranja... sim, era um lenço de cabeça... a mulher estava de costas para ele, era alta, como sua mãe... ele tinha de alcançá-la, havia gente demais no caminho...

Um meio soluço explodiu dos lábios de Salva. Não podia perdê-la de vista!

CAPÍTULO DOZE

Sul do Sudão, 2009

❂

Uma girafa de ferro. Uma girafa vermelha que fazia ruídos bem altos.

A girafa era uma furadeira que fora trazida para a aldeia pelos dois homens que a tinham visitado antes. Voltaram com uma equipe de mais dez homens e dois caminhões – um deles rebocando a girafa-furadeira junto com outros equipamentos misteriosos; o outro, carregado de tubos plásticos. Entretanto, o terreno ainda estava sendo limpo.

A mãe de Nya prendia o bebê nas costas e ia com várias outras mulheres para um lugar entre a aldeia e a lagoa. Juntavam pilhas de rochas e pedras, e as amarravam em trouxas usando pano resistente. Equilibravam-nas na cabeça, andavam de volta para o local da furadeira e esvaziavam as trouxas despejando as pedras no chão.

Outros moradores da aldeia usavam ferramentas emprestadas pelos visitantes, batendo nas rochas e pedras para quebrá-las formando cascalho. Seriam necessários muitos carregamentos de cascalho. Nya não sabia por quê. Os montes de cascalho ficavam maiores dia após dia.

O som forte e metálico do maquinário e dos martelos a saudava toda vez que ela retornava da lagoa – ruídos pouco familiares que se misturavam com as vozes de homens berrando e mulheres cantando. Era o som de pessoas trabalhando juntas. Mas não parecia em nada com o som de água.

Campo de refugiados de Itang, Etiópia, 1985

❀

— Mamãe! Mamãe, por favor!

Salva abriu a boca para chamar outra vez. Mas as palavras não saíram. Ele fechou a boca, baixou a cabeça, virou-se e foi embora.

A mulher de lenço laranja não era sua mãe. Ele tinha certeza disso, embora ela ainda estivesse longe e ele não tivesse visto seu rosto.

As palavras do tio lhe voltaram à mente: "A aldeia de Loun--Ariik foi atacada... incendiada. Poucas pessoas sobreviveram... ninguém pode saber onde estão agora."

Um instante antes de chamar a mulher uma segunda vez, Salva percebeu o que o tio realmente quisera dizer – algo que soubera no coração por um longo tempo: sua família se fora. Tinham sido mortos por balas ou bombas, fome ou doença, não interessava a causa. O que importava era que Salva agora estava sozinho, por sua própria conta.

Ele se sentiu como se estivesse parado na beira de um gigantesco buraco, um buraco cheio do negro desespero do nada.

"Eu agora estou sozinho."

"Eu sou tudo o que resta da minha família."

Seu pai, que mandara Salva para a escola, que lhe trazia coisas gostosas, como as mangas, que confiava nele para cuidar do rebanho... Sua mãe, sempre com a comida e o leite prontos, e a mão macia para acariciar a cabeça dele. Seus irmãos e irmãs, com quem ele ria e brincava e de quem tomava conta... Nunca mais os veria de novo.

"Como posso seguir sem eles?"

"Mas como posso não seguir? Eles gostariam que eu sobrevivesse... para crescer e fazer alguma coisa da minha vida... para honrar sua memória."

O que era mesmo que o tio dissera durante aquele primeiro dia terrível no deserto? "Está vendo aquele monte de arbustos? Você só precisa conseguir chegar até eles..."

Ele o ajudara a atravessar o deserto daquela maneira, aos poucos, um passo de cada vez. Talvez... talvez Salva pudesse atravessar a vida no campo da mesma forma.

– Preciso apenas atravessar este dia – disse a si mesmo.

"Este dia e nenhum outro."

Se alguém tivesse dito a Salva que viveria no campo durante *seis anos*, ele jamais teria acreditado.

Seis anos depois: julho de 1991

– Eles vão fechar o campo. Todo mundo vai ter de ir embora.
– Impossível. Para onde iremos?
– É o que estão dizendo. E não só este campo. Todos eles.

Os boatos se insinuavam pelo campo. Todo mundo estava intranquilo. À medida que os dias passavam, a intranquilidade se transformou em medo.

Salva agora tinha quase 17 anos, era um rapaz. Tentou descobrir o que podia sobre os boatos conversando com os ajudantes do campo. Eles lhe disseram que o governo etíope estava perto de cair. Os campos de refugiados eram dirigidos por grupos estrangeiros de auxílio, mas era o governo que lhes permitia operar. Se o governo caísse, o que fariam os novos governantes em relação aos campos?

Quando a pergunta foi respondida, ninguém estava preparado. Numa manhã chuvosa, enquanto Salva ia para a tenda da escola, chegaram longas filas de caminhões. Massas de soldados armados foram despejadas deles, ordenando a todo mundo que fosse embora.

As ordens não eram para simplesmente deixar o campo, mas para deixar a Etiópia.

Imediatamente, formou-se o caos. Foi como se as pessoas deixassem de ser pessoas e se tornassem uma enorme manada de criaturas de duas pernas debandando em pânico.

Salva foi pego no meio do estouro. Seus pés mal tocavam o solo enquanto ele era varrido pela turba de milhares de pessoas correndo e gritando. A chuva, que caía torrencialmente, contribuía para o tumulto.

Os soldados disparavam as armas para o ar e perseguiam as pessoas, afugentando-as do campo. Já fora da área que cercava o campo, continuavam a espantá-las, com tiros e berros.

Enquanto era arrastado, Salva ouviu trechos de conversa.

– O rio.

– Estão nos empurrando na direção do rio!

Salva sabia a que rio se referiam: o Gilo, que corre ao longo da fronteira entre a Etiópia e o Sudão.

"Estão nos empurrando de volta para o Sudão", pensou Salva. "Vão nos forçar a atravessar o rio..."

Era a estação chuvosa. Inchado pelas chuvas, a correnteza do Gilo podia ser impiedosa.

O Gilo também era conhecido por outra coisa.

Crocodilos.

CAPÍTULO TREZE

Sul do Sudão, 2009

Nya achou engraçado: era preciso ter água para achar água. Era preciso água fluindo constantemente para dentro do buraco para manter a furadeira funcionando sem problemas. A equipe fez o caminho de ida e volta da lagoa várias vezes no dia. A água da lagoa foi bombeada num pote que parecia um gigantesco saco plástico, suficientemente grande para abrigar toda a caçamba do caminhão.
O saco furou. O furo precisou ser remendado.
O remendo furou. A equipe remendou o remendo.
O saco furou de novo. A furadeira não pôde prosseguir.
A equipe de perfuração ficou desanimada com os furos. Quiseram parar de trabalhar. Mas o patrão mandou que continuassem. Todos os operários vestiam o mesmo macacão azul, ainda assim, Nya sabia quem era o patrão. Era um dos dois homens que vieram primeiro até a aldeia. O outro parecia ser seu principal assistente.

O patrão incentivava os operários, ria e fazia brincadeiras com eles. Se isso não funcionasse, ele falava seriamente e tentava persuadi-los. E se *isso* não funcionasse, ele se zangava.

Ele não se zangava com muita frequência. Continuava trabalhando e mantinha os outros trabalhando.

Remendaram novamente o saco. A perfuração continuou.

Etiópia – Sudão – Quênia, 1991

Centenas de pessoas faziam fila na margem do rio. Os soldados obrigavam alguns a entrar na água, cutucando-os com a coronha dos rifles, dando tiros para o alto.

Outras pessoas, com medo dos soldados e das suas armas, pulavam para dentro da água por contra própria. Eram imediatamente arrastadas rio abaixo pela poderosa correnteza.

Ao agachar-se junto à margem para observar, um rapaz ao lado de Salva mergulhou na água. A correnteza o carregou rapidamente rio abaixo, mas ele também estava fazendo algum progresso para atravessar o rio.

Então Salva viu o movimento súbito denunciando a cauda de um crocodilo. Momentos depois, a cabeça do rapaz sacudiu-se de forma estranha – uma vez, duas. Sua boca estava aberta. Talvez estivesse gritando, mas Salva não podia ouvi-lo com toda a barulheira da multidão e da chuva... Um instante depois, o rapaz foi puxado para baixo.

Uma nuvem vermelha manchou a água.

A chuva ainda era torrencial – e agora havia também uma chuva de balas. Os soldados começaram a atirar para dentro do rio, apontando as armas para as pessoas que tentavam atravessar.

"Por quê? Por que estão atirando em nós?"

Salva não teve escolha. Saltou para dentro da água e começou a nadar. Um menino ao seu lado agarrou-o pelo pescoço e prendeu-se a ele com toda a força. Salva foi puxado para baixo da água sem tempo de dar mais que uma respirada rápida e superficial.

Salva se debatia, chutava, apertava com as mãos. "Ele está me agarrando com muita força... eu não aguento... ar... não resta ar..."

Subitamente, as mãos do garoto o soltaram, e Salva se lançou para cima. Jogou a cabeça para trás e tomou uma enorme golfada de ar. Durante alguns instantes não conseguiu fazer nada além de arfar e sufocar.

Quando sua visão clareou, viu por que o menino havia soltado: estava boiando com a cabeça para baixo, sangue jorrando de um buraco de bala na nuca.

Perplexo, Salva deu-se conta de que ser forçado para baixo da água provavelmente salvara sua vida. Mas não havia tempo para maravilhar-se com isso. Havia mais crocodilos nas margens mergulhando. A chuva, a correnteza forte, as balas, os crocodilos, o emaranhado de braços e pernas, os gritos, o sangue... Ele precisava dar um jeito de atravessar.

Salva não sabia quanto tempo ficara na água.

Pareciam horas.

Pareciam anos.

Quando finalmente as pontas dos dedos dos pés tocaram a lama, obrigou seus membros a começar a nadar uma última vez. Arrastou-se até a margem e desabou. Então ficou deitado ali na lama, arfando e engasgando na tentativa de tomar fôlego.

Mais tarde, ficaria sabendo que pelo menos mil pessoas tinham morrido naquele dia tentando atravessar o rio, afogadas, atingidas pelas balas ou atacadas por crocodilos.

Como era possível que ele não tivesse sido uma das mil? Por que fora um dos afortunados?

A caminhada recomeçou. Mas para onde?
Ninguém sabia ao certo. Para onde Salva deveria ir?

"Não para casa. Ainda há guerra em toda parte no Sudão."
"Não de volta para a Etiópia. Os soldados nos matariam."
"Quênia. Parece que há campos de refugiados no Quênia."
Salva tomou uma decisão. Andaria para o sul, para o Quênia. Não sabia o que ia encontrar ao chegar lá, mas parecia ser sua melhor opção.

Multidões de outros meninos o seguiram. Ninguém falava no assunto, mas no fim do primeiro dia Salva tornara-se o líder de um grupo de cerca de mil e quinhentos garotos. Alguns tinham apenas cinco anos de idade.

Aqueles meninos menores fizeram Salva se lembrar do seu irmão Kuol. Mas então ele teve um pensamento assombroso. "Kuol não tem mais essa idade – agora é um adolescente!" Salva descobriu que só conseguia pensar nos seus irmãos e irmãs como eram quando os vira da última vez, e não como seriam agora.

Estavam viajando por uma parte do Sudão ainda assolada pela guerra. Os combates e bombardeios eram piores durante o dia, então Salva decidiu que o grupo devia esconder-se quando o sol estivesse brilhando e fazer a caminhada à noite.

Mas, no escuro, era difícil ter certeza de estarem indo na direção certa. Às vezes, os garotos viajavam por dias só para descobrir que tinham feito um círculo enorme. Isto aconteceu tantas vezes que Salva perdeu a conta. Encontraram outros grupos de meninos, todos andando para o sul. Cada grupo tinha histórias de perigos terríveis: garotos que tinham sido mortos por balas ou bombas, atacados por animais selvagens, deixados para trás por estarem fracos ou doentes demais para acompanhar o grupo.

Quando Salva ouvia tais histórias, pensava em Marial. Sentia sua determinação crescer, como acontecera nos dias após a morte do tio.

"Vou levar todos nós a salvo até o Quênia", pensava ele. "Não importa o quanto seja difícil."

Ele organizou o grupo, dando a todo mundo uma tarefa: sair em busca de comida; catar lenha para o fogo; montar guarda enquanto o grupo dormia. Toda comida e água que encontrassem era dividida igualmente entre todos. Quando os garotos menores ficavam cansados demais, os mais velhos se revezavam para carregá-los nas costas.

Havia ocasiões em que alguns dos meninos não queriam fazer sua parte do trabalho. Salva conversava com eles, encorajava, animava e persuadia. Vez ou outra tinha de falar mais severamente, até mesmo berrar. Mas tentava não fazer isso com frequência.

Era como se a família de Salva o estivesse ajudando, mesmo não estando ali. Lembrava-se de como tomava conta do seu irmão menor, Kuol. Mas também sabia qual era a sensação de ter de escutar os mais velhos, Ariik e Ring. E lembrava-se da delicadeza de suas irmãs; da força do pai; do carinho da mãe.

Mais do que tudo, lembrava-se de como o tio o encorajara no deserto.

"Um passo de cada vez... um dia de cada vez. Só o dia de hoje – é só atravessar este dia..."

Salva dizia isto a si mesmo todos os dias. E dizia também aos meninos do grupo.

Um dia de cada vez, eles percorreram seu caminho até o Quênia.

Mais de mil e duzentos garotos chegaram sãos e salvos.

Levaram um ano e meio.

CAPÍTULO CATORZE

Sul do Sudão, 2009

❂

Durante três dias, o ar em volta da casa de Nya encheu-se com o som da furadeira. Na tarde do terceiro dia, ela juntou-se às outras crianças em torno do local da perfuração. Os adultos pararam o trabalho de quebrar pedras e também se aproximaram.

Os operários pareciam empolgados. Moviam-se com rapidez enquanto os líderes gritavam ordens. Então...

UOOOOSH!

Um jorro de água foi expelido alto no ar!

Não era a água que os operários vinham bombeando *para dentro* do buraco. Era uma *água nova* – uma água que estava *saindo* do buraco!

Todo mundo ovacionou ao ver a água. Todos riram com a visão dos dois operários que estavam operando a furadeira. Eles ficaram ensopados, as roupas completamente encharcadas.

Uma mulher na multidão começou a cantar uma canção de celebração. Nya batia palmas com as outras crianças. Mas, ao observar a água jorrando do buraco, franziu a testa.

Não era uma água limpa. Era marrom e de aspecto pesado. Estava cheia de barro.

Campo de refugiados de Ifo, Quênia, 1992-96

Salva tinha agora 22 anos. Durante os últimos cinco anos vivera em campos de refugiados no norte do Quênia: primeiro em Kakuma, depois em Ifo.

Kakuma tinha sido um lugar assustador, isolado no meio de um deserto seco e exposto a fortes ventos. Cercas altas de arame farpado rodeavam o campo; não se tinha permissão de sair a menos que fosse para ir embora de vez. Dava a sensação quase de uma prisão.

Em Kakuma moravam 70 mil pessoas. Alguns diziam que era mais, 80 ou 90 mil. Havia famílias que tinham conseguido escapar juntas, porém, mais uma vez, como na Etiópia, a maioria dos refugiados era de meninos e rapazes órfãos.

O povo local não gostava de ter um campo de refugiados por perto. Frequentemente se esgueiravam para lá e roubavam deles. Às vezes irrompiam brigas, e pessoas eram feridas ou mortas.

Depois de dois anos de sofrimento em Kakuma, Salva resolveu deixar o campo. Tinha ouvido falar de outro, bem mais ao sul e a oeste, e esperava que lá as coisas fossem melhores.

Mais uma vez, ele e alguns outros rapazes caminharam durante meses. Mas quando chegaram ao campo em Ifo, descobriram que as coisas não eram diferentes de Kakuma. Todo mundo vivia sempre faminto, nunca havia comida suficiente. Muitos estavam doentes ou haviam se machucado durante a longa e terrível viagem para chegar ao campo; os poucos voluntários médicos não podiam cuidar de todo mundo que precisava de socorro. Salva sentiu-se afortunado por ao menos gozar de boa saúde.

Ele queria desesperadamente trabalhar, ganhar um pouco de dinheiro que pudesse usar para comprar comida extra. Chegou a sonhar com poupar para um dia poder deixar o campo e, de algum modo, continuar sua educação.

Mas não havia trabalho. Não havia nada para fazer a não ser esperar: esperar pela próxima refeição, esperar por notícias do mundo fora do campo. Os dias eram longos e vazios. Estendiam--se por semanas, depois meses, depois anos.

Era duro manter a esperança viva quando havia tão pouco para alimentá-la.

Michael era um voluntário vindo de um país chamado Irlanda. Salva tinha conhecido uma porção deles. Chegavam e iam embora, permanecendo no campo por várias semanas ou, no máximo, alguns meses. Esses voluntários vinham de muitos países diferentes, mas geralmente falavam inglês entre si. Poucos refugiados falavam inglês, então a comunicação com os voluntários era geralmente difícil.

Mas, depois de tantos anos nos campos, Salva conseguia entender um pouco da língua. De vez em quando até tentava falar, e Michael quase sempre parecia disposto a entender o que estava tentando dizer.

Um dia, após a refeição matinal, Michael falou com Salva:

– Você parece interessado em aprender inglês – disse ele. – Gostaria de aprender a ler?

As aulas começaram naquele mesmo dia. Michael anotou três letras num pedacinho de papel.

– A, B, C – disse ele, entregando-o a Salva.

– A, B, C – Salva repetiu.

O resto do dia, Salva ficou andando de um lado a outro dizendo "A, B, C", a maior parte do tempo para si mesmo, mas às vezes sonoramente, mas baixinho. Olhou 100 vezes para o papel e praticou desenhar as letras na poeira com um pedaço de pau, vezes e vezes repetidas.

Salva lembrava-se de ter aprendido a ler árabe quando era criança. O alfabeto árabe tinha 28 letras; o alfabeto inglês, apenas 26. Em inglês, as letras ficavam separadas uma da outra, então era fácil distingui-las. Nas palavras árabes, elas sempre vinham unidas, e uma letra podia ser diferente dependendo de qual vinha antes ou depois dela.

– Sim, senhor, está se saindo muito bem – Michael disse no dia em que Salva aprendeu a escrever seu próprio nome. – Você aprende rápido porque trabalha duro.

Salva não disse o que estava pensando: que trabalhava duro porque queria aprender a ler inglês antes que Michael deixasse o campo. Não sabia se algum dos outros voluntários dedicaria tempo para ensiná-lo.

– Mas de vez em quando é bom fazer uma pausa no trabalho. Vamos fazer algo um pouquinho diferente para variar. Estou pensando que você deve ser bom nisso por ser um cara alto.

Então, Salva aprendeu duas coisas com Michael: ler e jogar vôlei.

Um boato estava se espalhando pelo campo. Começou com um sussurro, e logo Salva o sentiu como um rugido em seus ouvidos. E não conseguia pensar em mais nada.

A América.

Os Estados Unidos.

O boato era que cerca de três mil garotos e rapazes dos campos de refugiados seriam escolhidos para ir morar nos Estados Unidos!

Salva não conseguia acreditar. Como podia ser verdade? Como chegariam lá? Onde morariam? Com toda certeza era impossível...

Mas, à medida que os dias foram passando, os voluntários confirmaram a notícia.

Todo mundo só falava nisso.

— Eles só querem gente saudável. Se estiver doente, você não será escolhido.

— Eles não escolhem você se algum dia tiver sido soldado do lado dos rebeldes.

— Só órfãos estão sendo escolhidos. Se tiver família, você vai ter de ficar aqui.

Passaram-se semanas, depois meses. Um dia um aviso foi colocado na barraca de administração do campo. Era uma lista de nomes. Se você estivesse na lista, queria dizer que tinha conseguido chegar ao passo seguinte: a entrevista.

O nome de Salva não estava na lista.

Nem na lista seguinte, nem na lista depois dessa.

Muitos dos garotos que estavam sendo escolhidos eram mais novos que ele. "Talvez os Estados Unidos não queiram ninguém velho demais", pensou.

Toda vez que saía uma lista nova, o coração de Salva batia forte ao ler os nomes. Ele tentava não perder a esperança. Ao mesmo tempo, tentava não ter esperança demais.

Às vezes sentia que estava sendo rasgado em dois por ter e não ter esperança ao mesmo tempo.

Numa tarde de ventania, Michael correu para a tenda de Salva.

– Salva! Venha rápido! Seu nome está na lista de hoje!

Salva levantou-se de um salto e já estava correndo mesmo antes de o amigo acabar de falar. Ao chegar perto da barraca da administração, reduziu o passo e tentou recuperar o fôlego.

"Ele pode ter se enganado. Pode ser outra pessoa chamada Salva. Não vou ter pressa em olhar... De longe, posso ver um nome parecido com o meu, e preciso ter certeza."

Salva forçou passagem pela multidão até chegar diante da lista. Levantou a cabeça lentamente e começou a ler os nomes.

Lá estava.

"Salva Dut – Rochester, Nova York"

Salva iria para Nova York.

Iria para os Estados Unidos!

CAPÍTULO QUINZE

Sul do Sudão, 2009

Mesmo que a água jorrando do buraco fosse marrom e barrenta, alguns dos meninos pequenos quiseram beber imediatamente. Mas as mães os proibiram. Os homens continuaram a trabalhar com a furadeira. O líder conversou com o tio e o pai de Nya e com alguns outros homens da aldeia.

Mais tarde, Dep explicou as coisas para ela.

– Não se preocupe! – disse ele. – A água está barrenta porque ainda está misturada com a água velha da lagoa. Eles precisam perfurar mais para baixo, para garantir uma profundidade suficiente para chegar à água limpa subterrânea. E aí precisam colocá-la em canos, fazer uma base com cascalho, instalar a bomba e pôr cimento em torno dela. E o cimento tem de secar.

Dep disse que levaria mais alguns dias até poderem beber a água.

Nya deu um suspiro e pegou o grande pote de plástico. Mais uma caminhada até a lagoa.

Nairóbi, Quênia – Rochester, Nova York, 1996

Os Meninos Perdidos.

Era assim que eles estavam sendo chamados nos Estados Unidos: os meninos que tinham perdido seus lares e famílias por causa da guerra e tinham vagado, durante semanas ou meses seguidos antes de chegar aos campos de refugiados.

A encarregada explicou isso a Salva e aos outros oitos garotos com quem ele viajaria. Ela falou principalmente em inglês. Às vezes dizia uma ou duas palavras em árabe, mas não falava bem aquela língua. Tentou o melhor que pôde falar devagar, mas tinha muitas coisas a dizer, e Salva estava preocupado com a possibilidade de entender alguma coisa importante incorretamente.

Eles viajaram de caminhão desde o campo de refugiados em Ifo até um centro de processamento em Nairóbi, a capital do Quênia. Havia intermináveis formulários a preencher. Suas fotos foram tiradas. Houve um exame médico. Para Salva, tudo foi um grande borrão, pois estava excitado demais para dormir, o que o deixou muito cansado para absorver o que estava acontecendo.

Mas houve um momento muito claro: quando lhe deram roupas novas. No campo, ele usara shorts velhos e uma camiseta ainda mais velha. Tinha cuidado bem das roupas, mas a camiseta tinha furos e o cós dos shorts estava esticado e desfiado. Os funcionários do campo distribuíam roupas sempre que entravam doações, mas nunca havia o suficiente para aqueles que precisavam delas.

Agora os braços de Salva estavam carregados com uma pilha alta de roupas novas. Roupa de baixo, meias, tênis. Calças compridas. Uma camiseta e uma camisa de mangas compridas por cima de tudo. E ele tinha de vestir *todas* aquelas roupas ao mesmo tempo!

– É inverno nos Estados Unidos – disse um dos voluntários.

– Inverno? – repetiu Salva.

– Sim. Muito frio. Você receberá mais roupas em Nova York.

"Mais roupas?" Salva balançou a cabeça. "Como é possível vestir ainda mais roupas?"

Salva mal podia acreditar em seus olhos quando embarcou no avião em Nairóbi. Cada pessoa tinha um assento, e todos tinham bagagem. Com toda aquela gente, centenas de poltronas estofadas e pesadas, e todas aquelas sacolas, como o avião conseguiria sair do chão?

De algum jeito ele conseguiu, não como um pássaro erguendo-se levemente com um rápido bater de asas, mas com ganidos e rugidos dos motores enquanto percorria lentamente a longa pista, como se tivesse de fazer o máximo esforço para alcançar o ar.

Uma vez em segurança no avião, Salva observou do alto o cenário do lado de fora da janelinha. O mundo era tão grande e tudo estava tão pequeno! Florestas e desertos imensos viraram meras manchas de verde e marrom. Carros se arrastavam pelas estradas como formigas em fila. E havia gente lá embaixo, milhares de pessoas, mas ele não conseguia ver uma sequer.

– Gostaria de tomar alguma coisa?

Salva ergueu os olhos para a mulher com um belo uniforme e balançou a cabeça para mostrar que não tinha entendido. Ela sorriu.

– Coca-Cola? Suco de laranja?

Coca-Cola! Muito tempo atrás, o pai de Salva trouxera algumas garrafas de Coca-Cola ao voltar do mercado. O primeiro gole tinha sido surpreendente: todas aquelas bolhas pulando dentro da boca! Que rara delícia aquilo tinha sido.

– Coca-Cola, obrigado – disse Salva.

A cada gole, lembrou-se da sua família passando as garrafas de mão em mão, rindo com as cócegas feitas pelas bolhas, compartilhando e rindo juntos...

A viagem para o novo lar precisou não de um, não de dois, mas de *três* aviões. O primeiro voou de Nairóbi para Frankfurt, num país chamado Alemanha. Ele pousou com um assustador solavanco, depois brecou com tanta força que Salva foi jogado para a frente no assento; o cinto na sua barriga agarrou-se firmemente a ele. Depois, pegou um segundo avião de Frankfurt para Nova York. Lá, também pousou abruptamente, mas desta vez Salva estava pronto e segurou com força os braços da poltrona.

Em Nova York, o encarregado conduziu os garotos para diferentes portões. Alguns fariam o trecho final da viagem sozinhos, enquanto outros estavam em grupos de dois ou três. Salva era o único indo para Rochester. O encarregado disse que sua nova família estava esperando por ele lá.

No avião para Rochester, a maioria dos passageiros era de homens viajando sozinhos. Mas havia também algumas mulheres e umas poucas famílias – mães, pais e crianças. A maioria das pessoas era branca; já começando no aeroporto de Frankfurt, Salva tinha visto mais gente branca nas últimas horas do que em sua vida inteira.

Tentou não ficar olhando, mas não conseguia evitar estudar meticulosamente as famílias. Pensamentos ficavam dando voltas na sua mente.

"E se minha nova família não estiver lá? E se mudaram de ideia? E se me conhecerem e não gostarem de mim?"

Salva respirou fundo. "Um passo de cada vez", lembrou a si mesmo. "É só atravessar este voo, por enquanto..."

Finalmente o avião aterrissou e as rodas rangeram, enquanto Salva segurava com força os braços da poltrona e se agarrava àquilo que estava por vir.

Lá estavam eles, sorrindo e acenando no saguão do aeroporto: sua nova família! Chris, o pai; Louise, a mãe; e quatro filhos. Salva teria irmãos, exatamente como antes. Sentiu os ombros relaxando um pouco ao ver seus sorrisos ansiosos.

Salva disse "Olá" e "Obrigado" muitas vezes, pois na sua fadiga e confusão eram as únicas palavras das quais tinha certeza. Não conseguia entender nada do que diziam, especialmente Louise, que falava tão depressa que no começo ele não estava seguro de que ela estivesse falando inglês.

E, sim, eles *tinham* mais roupas para ele! Um grande casaco forrado, chapéu, cachecol, luvas. Salva vestiu o casaco e fechou o zíper. As mangas eram tão volumosas que ele sentiu que não conseguia mover os braços adequadamente. Imaginou se estaria parecendo muito bobo, com o corpo e os braços tão gordos e as pernas tão finas. Mas ninguém da família riu, e ele logo notou que todos estavam usando o mesmo tipo de casaco.

As portas de vidro do terminal do aeroporto abriram-se deslizando. O ar gelado atingiu o rosto de Salva como uma bofetada. Ele nunca sentira tanto frio! Na parte da África onde tinha morado a vida toda, a temperatura raramente caía abaixo de 20 graus.

Quando inspirou, pensou que seus pulmões congelariam e parariam de funcionar. Mas, ao seu redor, as pessoas ainda andavam, falavam e se movimentavam. Aparentemente, era possível sobreviver nessa temperatura fria, e ele agora entendia a necessidade do desajeitado casaco forrado.

Salva ficou parado imóvel dentro do terminal por alguns instantes. Deixar o aeroporto dava a sensação de deixar sua velha vida para sempre: o Sudão, sua aldeia, sua família...

Seus olhos se encheram de lágrimas, talvez por causa do ar gelado soprando através das portas abertas. Sua nova família já estava lá fora; eles se viraram e olharam para Salva.

Ele piscou para afugentar as lágrimas e deu seu primeiro passo para uma nova vida nos Estados Unidos.

CAPÍTULO DEZESSEIS

Sul do Sudão, 2009

❀

Depois da empolgação de ver aquele primeiro jorro de água, as pessoas da aldeia voltaram ao trabalho. Diversos homens se reuniram diante da casa de Nya. Traziam ferramentas, mangueiras, pás e foices.

O pai de Nya saiu para recebê-los. Os homens andaram juntos até um ponto atrás da segunda árvore grande e começaram a limpar o terreno.

Nya os observou por alguns instantes. Seu pai a viu e acenou. Ela pôs o pote plástico no chão e correu para ele.

— Papai, o que vocês estão fazendo?

— Limpando o terreno. Preparando para construir.

— Construir o quê?

O pai de Nya sorriu.

— Não consegue adivinhar?

Rochester, Nova York, 1996-2003

༺༻

Salva já estava em Rochester havia quase um mês e ainda não vira uma única rua de terra. Ao contrário do sul do Sudão, parecia que nos Estados Unidos todas as ruas eram pavimentadas. Às vezes, os carros passavam zunindo tão depressa que ele ficava admirado que os pedestres conseguissem atravessar em segurança. Seu novo pai, Chris, disse-lhe que estradas de terra existiam no campo, mas não havia nenhuma no novo bairro de Salva. Todos os edifícios tinham eletricidade. Havia gente branca em todo lugar. A neve caía do céu durante horas seguidas e então ficava no chão por dias. Às vezes começava a derreter durante o dia, mas, antes de desaparecer toda, caía mais. A nova mãe de Salva, Louise, disse-lhe que provavelmente só em abril – mais três meses – a neve sumiria completamente.

As primeiras semanas da nova vida de Salva foram tão desconcertantes que ele ficou grato pelos estudos. As aulas, especialmente inglês, davam-lhe algo em que se concentrar, um meio de bloquear a confusão por uma ou duas horas.

Sua nova família também ajudava. Todos eram gentis com ele, explicando pacientemente milhões de coisas que precisava aprender.

Salva tinha levado quatro dias para viajar do campo de refugiados de Ifo para seu novo lar em Nova York. Havia momentos em que ele mal podia acreditar que ainda estivesse no mesmo planeta.

Agora que Salva estava aprendendo mais do que algumas simples palavras, achou a língua inglesa bastante confusa. Como o conjunto de letras "o-u-g-h". As palavras "rough"... "though"... "fought"... "through"... "bough" eram todas escritas com ele, mas eram pronunciadas de tantas maneiras diferentes! Ou como uma palavra tinha de ser modificada dependendo da sentença. Por exemplo, dizia-se "chickens" ao se referir às galinhas vivas que andavam, ciscavam e botavam ovos, mas era "chicken", sem o "s", quando a galinha vinha na travessa pronta para ser comida. "Vamos ter chicken para o jantar." Era assim mesmo que se dizia, mesmo que tivessem sido assadas cem galinhas.

Às vezes, ele se perguntava se algum dia seria capaz de falar e ler bem inglês. Mas aos poucos, com horas de trabalho árduo ao longo de meses e anos, seu inglês melhorou. Lembrando-se de Michael, Salva entrou num time de vôlei. Era gostoso jogar, exatamente como fora no campo. Levantar e dar uma cortada era a mesma coisa em qualquer idioma.

Agora Salva já estava em Rochester havia mais de seis meses. Estava indo à faculdade e estudava administração. Tinha uma vaga ideia de algum dia retornar ao Sudão, para ajudar as pessoas que lá viviam.

Às vezes isso parecia impossível. Na sua terra natal havia tanta guerra, destruição, pobreza, doença e fome... tantos problemas que não tinham sido resolvidos por governos, ou por pessoas ricas, ou por grandes organizações de auxílio. O que poderia ele fazer para ajudar? Salva pensava muito nisso, mas não lhe vinha nenhuma resposta.

Numa noite, no fim de um longo dia de estudo, Salva sentou-se ao computador da família e abriu seu e-mail. Ficou surpreso de ver uma mensagem de um primo seu, alguém que ele mal conhecia. Ele estava trabalhando para uma agência humanitária no Zimbábue.

Salva clicou para abrir a mensagem. Seus olhos leram as palavras, mas de início seu cérebro não conseguiu absorvê-las.

"... clínica das Nações Unidas... seu pai... cirurgia do estômago..."

Salva leu as palavras várias e várias vezes. Então, levantou-se num salto e correu pela casa para achar Chris e Louise.

– Meu pai! – ele gritou. – Acharam meu pai!

Depois de diversas trocas de e-mails, Salva ficou sabendo que o primo na realidade não vira nem falara com seu pai. A clínica onde ele estava se recuperando ficava numa parte remota no sul do Sudão. Não havia telefone nem correio – nenhum jeito de se comunicar com o pessoal da clínica. A equipe mantinha listas de todos os pacientes que eram tratados. Elas eram enviadas às agências de auxílio das Nações Unidas. O primo de Salva trabalhava para uma dessas agências, e tinha visto o nome do pai de Salva.

Ele começou imediatamente a fazer planos de viajar para o Sudão. Mas, com a guerra ainda feroz, era muito difícil. Ele teve de conseguir permissões, preencher dúzias de formulários, organizar voos de avião e transporte de carro numa região onde não havia aeroportos ou estradas.

Salva, junto com Chris e Louise, passou horas ao telefone falando com várias agências e escritórios. Não foram dias nem semanas, mas *meses*, para conseguir que tudo estivesse em ordem. E não havia como mandar uma mensagem para o hospital. Às vezes, Salva sentia-se quase frenético com os adiamentos e frustrações. "E se meu pai deixar o hospital sem dizer a ninguém para onde foi? E se eu chegar tarde demais? Nunca mais vou conseguir encontrá-lo..."

Por fim, todos os formulários foram preenchidos e toda a papelada estava em ordem. Salva pegou um jato para Nova York, outro para Amsterdã, e um terceiro para Kampala, em Uganda. Lá, levou dois dias para passar pela alfândega e pelo serviço de imigração antes de poder pegar um avião menor para Juba, no sul do Sudão. Aí percorreu de jipe as estradas de terra até chegar à mata.

Como tudo era tão familiar e ao mesmo tempo tão diferente! As estradas não eram pavimentadas, as árvores e arbustos eram raquíticos, as cabanas tinham telhados de gravetos amarados; tudo exatamente igual a como Salva lembrava, como se ele tivesse ido embora ontem. Ao mesmo tempo, as memórias da sua vida no Sudão estavam bem distantes. Como podiam estar tão perto e tão longe ao mesmo tempo?

Depois de muitas horas sacudindo e balançando no jipe pelas estradas, após quase uma semana de exaustiva jornada, Salva entrou na choupana que servia de sala de recuperação no hospital improvisado. Uma mulher branca estava lá para recebê-lo.

– Olá – disse ele. – Estou procurando um paciente chamado Mawien Dut Ariik.

CAPÍTULO DEZESSETE

Sul do Sudão, 2009

— O que você acha que estamos construindo aqui? — indagou o pai de Nya, sorrindo.
— Uma casa? — tentou adivinhar Nya. — Ou um celeiro?
Seu pai balançou a cabeça.
— Algo melhor — disse ele. — Uma escola.
Os olhos dela se arregalaram. A escola mais próxima ficava a meio dia de caminhada da sua casa. Nya sabia disso porque Dep queria estudar. Mas era longe demais.
— Uma escola? — ela ecoou.
— Sim — o pai respondeu. — Com o poço aqui, ninguém precisará mais ir buscar água na lagoa. Então todas as crianças poderão ir à escola.
Nya encarou o pai. Sua boca se abriu, mas as palavras não saíram. Quando finalmente conseguiu falar, foi apenas num sussurro:
— *Todas* as crianças, papai? As meninas também?
O sorriso do pai ficou ainda mais largo.
— Sim, Nya. As meninas também — disse ele. — Agora, vá pegar água para nós — E retornou ao trabalho de ceifar a relva crescida.
Nya pegou o pote plástico. Sentia como se estivesse voando.
Uma escola! Ela aprenderia a ler e escrever!

Sudão e Rochester, Nova York, 2003-07

Salva ficou ao pé de uma das camas na clínica lotada.
– Olá – disse ele.
– Olá – o paciente respondeu polidamente.
– Vim visitar você – disse Salva.
– Me visitar? – O homem franziu a testa. – Mas quem é você?
– Você é Mawien Dut Ariik, não é?
– Sim, esse é meu nome.
Salva sorriu, as entranhas tremendo. Mesmo o pai tendo agora uma aparência mais velha, Salva o reconhecera de imediato. Mas foi como se seus olhos precisassem da ajuda dos ouvidos – ele precisava ouvir as palavras do pai para acreditar que era real.
– Sou seu filho. Salva.
O homem olhou para ele e balançou a cabeça.
– Não – disse ele. – Não é possível.
– Sim – disse Salva. – Sou eu, pai. – E passou para o lado da cama.
Mawien Dut estendeu a mão e tocou o braço desse estranho alto ao seu lado.
– Salva? – sussurrou. – Será que é realmente você?
Salva esperou. Mawien o encarou por um longo momento. Então gritou:
– Salva! Meu filho, meu filho!
Seu corpo, sacudindo com soluços de alegria, ergueu-se da cama para abraçar Salva com toda a força.

Fazia quase 19 anos que eles tinham se visto pela última vez.

Mawien Dut borrifou água sobre a cabeça do filho, a maneira dinka de abençoar alguém que estava perdido e foi reencontrado.

– Todo o mundo tinha certeza de que você estava morto – disse Mawien Dut. – A aldeia quis matar uma vaca por você. Era assim que o povo de Salva pranteava a morte de um ente querido.

– Mas eu não deixei – prosseguiu o pai. – Nunca abandonei a esperança de que você ainda estivesse vivo em algum lugar.

– E... a minha mãe? – perguntou Salva, mal ousando ter alguma esperança.

O pai sorriu.

– Está de volta à aldeia.

Salva quis rir e chorar ao mesmo tempo.

– Eu preciso vê-la!

O pai balançou a cabeça.

– Ainda há guerra perto de Loun-Ariik, meu filho. Se fosse lá, ambos os lados o obrigariam a combater com eles. Você não deve ir.

Havia ainda tanta coisa para conversar. Seu pai contou que as irmãs de Salva estavam com sua mãe. Mas dos seus três irmãos apenas Ring sobrevivera à guerra. Ariik, o mais velho, e Kuol, o mais novo, estavam ambos mortos.

"O pequeno Kuol..." Salva fechou os olhos por alguns instantes, tentando visualizar seus irmãos através de uma névoa de tempo e pesar.

Ficou sabendo mais sobre a doença do pai. Anos bebendo água contaminada haviam deixado todo o sistema digestivo de Mawien Dut assolado por vermes da Guiné. Fraco e doente, ele caminhara mais de 400 quilômetros para chegar à clínica, e estava quase morto quando finalmente chegou.

Salva e seu pai passaram vários dias juntos. Mas num tempo curto demais, já era hora de voltar para os Estados Unidos. Seu pai também deixaria a clínica em breve. A cirurgia tinha sido bem-sucedida, e logo ele estaria forte o bastante para fazer a longa caminhada de volta.

– Eu irei até a aldeia – prometeu Salva – assim que for seguro.

– Estaremos lá esperando por você – o pai prometeu por sua vez.

Salva pressionou fortemente o rosto contra o do pai enquanto davam um abraço de despedida, e as lágrimas de ambos escorreram e se misturaram.

No avião de volta aos Estados Unidos, Salva reviveu mentalmente cada momento da visita ao pai. Sentiu de novo o frescor na testa quando ele o abençoou borrifando a água.

E teve uma ideia, uma ideia do que poderia fazer para ajudar o povo do Sudão.

Será que conseguiria? Seria necessário tanto trabalho! Talvez fosse difícil demais. Mas como saber se não tentasse?

De volta a Rochester, Salva começou a trabalhar na sua ideia. Parecia haver um milhão de problemas a serem resolvidos. Ele precisava de muita ajuda. Chris e Louise deram-lhe muitas sugestões. Scott, uma amigo da família, era perito em montar projetos como aquele que Salva tinha em mente. Os dois trabalharam juntos durante horas e dias... que se transformaram em semanas e meses.

Ao longo do caminho, Salva conheceu outras pessoas que queriam ajudar. E ficou grato a todas elas. Mas, mesmo com ajuda, era muito mais trabalho do que ele imaginara.

Salva precisava levantar dinheiro para o projeto. E só havia um jeito de fazer isso. Ele teria de falar com as pessoas e pedir-lhes dinheiro.

A primeira vez que falou diante de uma plateia foi na cafeteria da escola. Cerca de 100 pessoas foram escutá-lo. Havia um microfone na frente da sala. Os joelhos de Salva tremiam quando ele se dirigiu a ele. Sabia que seu inglês ainda não era muito bom. E se cometesse erros de pronúncia? E se a plateia não conseguisse entendê-lo?

Mas tinha de fazer aquilo. Se não falasse sobre o projeto, ninguém ficaria sabendo dele. Ninguém doaria dinheiro, e Salva jamais seria capaz de fazê-lo dar certo.

Ele falou no microfone.

– O-o-olá.

Naquele momento alguma coisa deu errado no sistema de som. Os alto-falantes atrás de Salva soltaram um pavoroso ruído. Ele deu um pulo e quase deixou o microfone cair.

Suas mãos tremiam, e ele olhou para a plateia. As pessoas sorriam e davam risadinhas; algumas crianças tampavam os ouvidos. Todos pareciam muito amigáveis, e olhar as crianças fez com que ele lembrasse. Não era a primeira vez que falava diante de um grupo grande de pessoas.

Anos antes, quando estava liderando aqueles garotos na caminhada do campo de refugiados na Etiópia para o Quênia, ele convocava uma reunião toda manhã e todo fim de tarde. Os garotos formavam uma fileira à sua frente, e Salva lhe falava de seus planos.

Todos aqueles olhos nele... mas cada face interessada no que tinha a dizer. O público fora à cafeteria da escola porque queria ouvi-lo. Pensar nisso fez com que se sentisse um pouco melhor, e ele voltou a falar no microfone.

– Olá – repetiu, e dessa vez apenas a sua própria voz saiu dos alto-falantes. – Estou aqui para falar sobre um projeto para o sul do Sudão.

Um ano se passou, então dois... e três. Salva falou com centenas de pessoas – em igrejas, organizações cívicas, escolas. Será que algum dia conseguiria transformar sua ideia em realidade? Sempre que se via perdendo a esperança, respirava fundo e pensava nas palavras do seu tio.

"Um passo de cada vez."

"Um problema de cada vez – resolva apenas este problema."

Dia após dia, resolvendo um problema de cada vez, Salva avançou rumo ao seu objetivo.

CAPÍTULO DEZOITO

Sul do Sudão, 2009

Nya esperou sua vez na fila. Estava segurando uma garrafa plástica.

O poço finalmente ficou pronto. O cascalho fora colocado por baixo, para formar uma fundação, a bomba fora instalada, e o cimento fora despejado e deixado para secar.

Antes de a bomba ser usada pela primeira vez, o povo da aldeia reuniu-se em volta. O chefe dos operários apresentou um grande quadro feito de lona azul, com algo escrito. Estava em inglês, mas o chefe falou com o tio de Nya, que contou a todos o que dizia.

– Em homenagem à Escola de Elm Street – disse o tio. – É o nome de uma escola nos Estados Unidos. Os alunos levantaram o dinheiro para que este poço pudesse ser cavado.

O tio ergueu uma das pontas do letreiro. O chefe dos operários ergueu a outra. Todo mundo se postou ao redor, e um dos operários tirou uma foto de todos. Seria enviada à escola americana para que os alunos pudessem ver o poço e as pessoas que agora o estavam usando.

Então o pessoal da aldeia fez fila para esperar sua vez de pegar água do novo poço.

Quando Nya chegou ao primeiro lugar da fila, sorriu timidamente para o tio, que interrompeu seu trabalho por um instante para sorrir de volta para ela. Então começou a acionar a manivela da bomba. Para cima e para baixo, para cima e para baixo...

Um jato de água jorrou da boca da bomba.

Nya segurou a garrafa sob ela. A garrafa encheu-se rapidamente.

Ela deu um passo para o lado para deixar a pessoa seguinte encher uma garrafa. Então bebeu.

Era uma água deliciosa. Não era morna nem barrenta, como a da lagoa. Era fresca e límpida.

Nya parou de beber e segurou a garrafa para poder olhá-la. Engraçado como uma coisa sem cor nenhuma pudesse ter uma aparência tão boa.

Ela deu mais alguns goles, depois olhou ao redor.

Todo mundo segurava uma garrafa ou um copo. Estavam tomando aquela água deliciosa, ou esperando por mais, ou conversando e rindo. Era uma celebração.

Um velho parado perto de Nya balançou a cabeça. Em voz alta, disse:

— Era aqui que costumávamos nos reunir para nossas fogueiras de celebração. Eu me sentei aqui a vida inteira. E todos estes anos nunca soube que estava sentado em cima desta água ótima!

Todo mundo em volta riu. Nya também.

Em mais alguns dias, a escola estaria terminada. Nya, Dep e Akeer iam todos estudar nela, com outras crianças. No próximo ano haveria um mercado onde as pessoas da aldeia poderiam vender e comprar vegetais, galinhas e outros bens. Falava-se até mesmo em, algum dia, construir uma clínica —

para não terem de andar tanto para obter socorro, como tiveram de fazer quando Akeer adoeceu.

Era o poço que estava trazendo todas essas coisas boas para a aldeia.

Mas o poço não era para uso exclusivo deles. Pessoas viriam de quilômetros de distância para pegar água boa e limpa. Nya sabia, por ter ouvido a conversa dos adultos, que o chefe da equipe tinha estabelecido algumas regras. Nunca se deveria negar água a ninguém. Alguns dos aldeões seriam responsáveis pela manutenção. Estariam ocupados com este novo trabalho, de modo que toda aldeia deveria ajudá-los com suas plantações e seus rebanhos. Outros, inclusive o tio de Nya, resolveriam as disputas que surgissem.

O poço mudaria sua vida de muitas maneiras.

"Nunca mais vou ter de andar até a lagoa para pegar água", pensou Nya.

Ela perambulou um pouco, sorvendo a bebida fresca e cristalina. Então avistou o chefe da equipe. Estava parado sozinho, encostado num dos caminhões, assistindo ao tio manusear a bomba.

Dep a viu olhando o homem.

— Aquele homem, o chefe dos operários — disse Dep. — Você sabe que ele é dinka?

Nya olhou para Dep estarrecida.

Os dinkas e os nuers não tinham uma aparência física muito diferente. Era preciso olhar os padrões das cicatrizes na face para distinguir as tribos: os padrões dinka eram diferentes dos nuer.

No entanto, o chefe da equipe não tinha cicatrizes na face. Nya ouvira alguns dos garotos falando sobre isso, estranhando que fosse um homem adulto e não tivesse cicatrizes. O assistente era nuer, assim como a maior parte da equipe; todos tinham cicatrizes nuer. Nya não tinha pensado muito nisso, mas percebia agora que sempre presumira que o chefe também fosse nuer.

Os dinkas e os nuers eram inimigos – tinham sido inimigos por centenas de anos.

– Por que um dinka traria água para nós? – ela perguntou a si mesma em voz alta.

– Ouvi o tio e papai falando sobre eles – disse Dep. – Ele já perfurou muitos poços para seu próprio povo. Este ano decidiu perfurar também para os nuers.

Dep na realidade não respondera à pergunta de Nya. "Ele provavelmente não sabe a resposta", pensou. Mas agora ela sentia que havia algo que precisava fazer.

Foi até onde o homem estava parado. De início, ele não a notou, de modo que ela esperou calada.

Então ele a viu.

– Olá – disse.

A timidez inundou Nya inteira. Momentaneamente, ela achou que não conseguiria falar. Olhou para baixo, para o chão, depois para o jato de água ainda jorrando da boca da bomba.

Até que encontrou sua voz:

– Obrigada – disse ela, e encarou-o corajosamente. – Obrigada por trazer a água.

O homem sorriu.

– Qual é o seu nome? – indagou.
– Nya.
– Fico feliz em conhecer você, Nya – disse o homem. – Meu nome é Salva.

Uma mensagem de Salva Dut

Este livro baseia-se na história da minha vida. Espero que, a partir dele, mais pessoas aprendam sobre os Meninos Perdidos e o Sudão.

Nasci numa pequena aldeia chamada Loun-Ariik, no condado de Tonj, no sul do Sudão. E, exatamente como está no livro, fiquei em campos de refugiados na Etiópia e no Quênia por muitos anos antes de ir para os Estados Unidos.

Sou grato a muita, muita gente. As Nações Unidas e a Cruz Vermelha Internacional me salvaram quando eu estava correndo perigo de morrer de fome. A família Moore, a Igreja Episcopal Saint Paul e a comunidade de Rochester, Nova York, me receberam com carinho nos Estados Unidos. Sou grato também pela educação que recebi, especialmente no Monroe Community College.

Também sou grato às pessoas que me ajudaram no meu projeto, Water for Sudam, Inc. – escolas, igrejas, organizações cívicas e indivíduos por todo o país. Agradeço em especial à diretoria da Water for Sudam e ao Rotary Club, que trabalharam comigo. Meu sonho de ajudar as pessoas na minha terra, o Sudão, está começando a se realizar.

Superei todas as situações difíceis do meu passado por causa da esperança e perseverança que tive. Não teria conseguido sem essas duas coisas. Para os jovens, eu gostaria de dizer: mantenham a calma quando as coisas estiverem difíceis ou não estiverem dando certo. Você vai superar isso se perseverar em vez de desistir. Desistir leva a muito menos felicidade na vida do que perseverança e esperança.

Salva Dut
Rochester, Nova York
2010

Nota da autora

Alguns dos detalhes desta história foram romanceados, mas os acontecimentos principais baseiam-se nas experiências de Salva. Li seus relatos e o entrevistei por muitas horas. Também li outros livros sobre os Meninos Perdidos e escritos por eles. Para a parte da história referente a Nya, pude entrevistar viajantes que viram poços de água sendo perfurados em aldeias como a dela; também usufrui de gravações em vídeo e fotografias. Conhecido como Segunda Guerra Civil Sudanesa, o conflito retratado neste livro começou em 1983. Havia muitas facções envolvidas e ocorreram numerosas mudanças de liderança durante a guerra, mas, em essência, os lados oponentes eram o governo dominado por muçulmanos no norte e a coalizão não muçulmana no sul. Além da religião, o conflito econômico também foi um fato importante, pois as reservas de petróleo do país estão localizadas no sul.

Milhões de pessoas foram mortas, aprisionadas, torturadas, sequestradas ou escravizadas; outros milhões foram permanentemente deslocadas, impossibilitadas de retornar a seu lar. Entre essa população deslocada houve centenas de milhares dos chamados Meninos Perdidos como Salva, que caminharam em desespero pelo sul do Sudão, pela Etiópia e pelo Quênia em busca de um abrigo seguro.

Muitos dos Meninos Perdidos que puderam voltar para casa depois da guerra descobriram que sua família havia desaparecido. Outros definharam em campos de refugiados como aqueles nos quais Salva viveu. Alguns acabaram por reunir-se aos entes queridos, muitas vezes depois de uma separação de décadas.

Em 2002, quase 20 anos depois do início da guerra, o governo dos Estados Unidos aprovou o Ato de Paz do Sudão [Sudan Peace Act], acusando oficialmente o governo sudanês de genocídio pela morte de mais de dois milhões de pessoas. Três anos depois, foi assinado um acordo de paz entre o norte e o sul. Ao sul foi concedida autonomia – a possibilidade de governar-se sozinho – por seis anos. Em 2011, teve lugar um referendo no qual os cidadãos do sul do Sudão votaram pela separação, ganhando sua independência do norte. Inquietações envolvendo o petróleo e a liderança política do Sudão do Sul turvaram a primeira infância da mais nova nação no mundo.

A guerra em Darfur, na parte ocidental do Sudão, é um conflito em separado, não coberto pelo acordo de paz. Enquanto este livro foi escrito, ela ainda estava sendo travada entre facções que se identificavam como árabes e aquelas que se consideravam africanas. As duas guerras, junto com vários anos de seca severa, trouxeram um sofrimento indizível ao povo.

O Sudão é o maior país da África e o décimo em área no mundo.

◉ ◉ ◉

Salva viu sua família no Sudão mais duas vezes desde os acontecimentos desta história, incluindo um comovente encontro com seus primos, os filhos do tio Jewiir. Espantosamente, sete dos Meninos Perdidos que caminharam com Salva da Etiópia para o Quênia o reencontraram quando foram realocados para a área de Rochester, Nova York.

Por volta da primavera de 2014, a fundação de Salva Dut, Water for South Sudan, já havia perfurado mais de 200 poços no sul do Sudão para comunidades dinkas e nuers, proporcionando água fresca para pelo menos meio milhão de pessoas. O primeiríssimo poço foi perfurado na aldeia natal de Salva, Loun-Ariik. Ele vive atualmente no Sudão do Sul e visita os Estados Unidos uma ou duas vezes por ano. Você pode saber mais sobre o trabalho da fundação em www.waterforsouthsudan.org.

Conheci Salva há vários anos quando meu marido e eu ficamos sabendo da Water for South Sudan. Em 2008, meu marido viajou para o

Sudão para ver os poços em primeira mão. Sou grata por responder às minhas intermináveis perguntas. Esta história não poderia ter sido escrita sem ele.

Minha família e eu nos sentimos afortunados por ter Salva como amigo. Para mim, foi realmente uma honra escrever este livro sobre ele.

Agradecimentos

Sinceros agradecimentos a:
Chris e Louise Moore e seus filhos,
a família americana de Salva;
John Turner, Nancy Frank
e outros membros da diretoria da
Water for South Sudan;
Jeffrey Mead pela oportunidade
de ver fotos e gravações em vídeo;
Linda Wright e Sue Kassirer
da Breakfast Serials, Inc.;
Ginger Knowlton, David Barbor
e todo mundo da Curtis Brown, Ltd.;
e Dinah Stevenson,
por cutucadas ao mesmo tempo gentis e firmes,
sempre na direção certa.

Este livro foi composto na fonte ITC Berkeley Oldstyle e impresso pela gráfica Santa Marta, em papel Luxcream 80 g/m², para a Editora WMF Martins Fontes, em dezembro de 2024.